Navegando 1

Quizzes

Charisse Litteken

EMCParadigm Publishing
Saint Paul, Minnesota

Note to the teacher

The quizzes for each chapter (*Lección A* and *Lección B*) are part of the *Navegando 1* Testing/Assessment Program. The quizzes are designed so that they can be given after students complete each individual textbook section (as indicated by the icon in the Teacher's Edition) or at the end of each individual lesson.

An answer key for all the quizzes is found at the end of this manual.

Product Manager
James F. Funston

Associate Editor
Belia Jiménez Lorente

Illustrator
Kristen M. Copham Kuelbs

ISBN: 0-8219-2812-0

Published by EMC/Paradigm Publishing
875 Montreal Way
St. Paul, Minnesota 55102
800-328-1452
www.emcp.com
E-mail: educate@emcp.com

Printed in the United States of America
3 4 5 6 7 8 9 10 XXX 09 08 07 06 05 04

Tabla de contenido

Capítulo 1
Lección A 1
Lección B 5

Capítulo 2
Lección A 9
Lección B 14

Capítulo 3
Lección A 19
Lección B 25

Capítulo 4
Lección A 29
Lección B 34

Capítulo 5
Lección A 39
Lección B 45

Capítulo 6
Lección A 51
Lección B 56

Capítulo 7
Lección A 61
Lección B 66

Capítulo 8
Lección A 71
Lección B 75

Capítulo 9
Lección A 79
Lección B 83

Capítulo 10
Lección A 87
Lección B 90

Answer Key 95

Nombre: ______________________________ Fecha: ____________________

Capítulo 1

Lección A

1 Complete the dialog selecting appropriate words from the word list provided.

adiós	hola	mucho
hasta	escribe	gusto
llamas	mayúscula	y tú

1. ¡ (1) ____________________ !
2. ¡Hola! ¿Cómo te (2)____________________ ?
3. Me llamo Elisa. ¿(3) ____________________ ?
4. Yo me llamo Pedro.
5. (4)____________________ gusto, Pedro.
6. Mucho (5) ____________________. ¿Cómo se (6) ____________________ Elisa?
7. Se escribe con e (7) ____________________, ele, i, ese, a
8. ¡(8) ____________________ Elisa!
9. ¡(9) ____________________ luego!

2 Unscramble the following Names of Spanish-speaking countries.

1. aeeeulnvz ____________________
2. úper ____________________
3. nodurahs ____________________
4. obalivi ____________________
5. yuuugar ____________________
6. coéxmi ____________________
7. añsepa ____________________
8. liche ____________________
9. napamá ____________________
10. olocibam ____________________

Nombre: ______________________ Fecha: ______________

3 Make complete sentences using the following cues.

MODELO Jaime/yo/llamo/me.
Yo me llamo Jaime.

1. hola /! /¡
____
2. llamas / ? / Cómo / te / ¿
____
3. y /llamo / ? / tú / Héctor. /Me /¿
____
4. te, / con / hache mayúscula, / e / o, / ere./ce, /acento / escribe /con / Se
____
5. ! /Adiós /¡
____

4 Complete the logical numerical sequence in Spanish.

1. cero, ______________, cuatro, seis, ______________, diez
2. uno, ______________, cinco, ______________, nueve
3. cinco, ______________, quince, ______________
4. ______________, doce, ______________, dieciséis, ______________, veinte
5. seis, nueve, ______________, quince, ______________
6. ______________, dieciocho, ______________, veinte

5 Using the map, identify and write the names of eight Spanish-speaking countries.

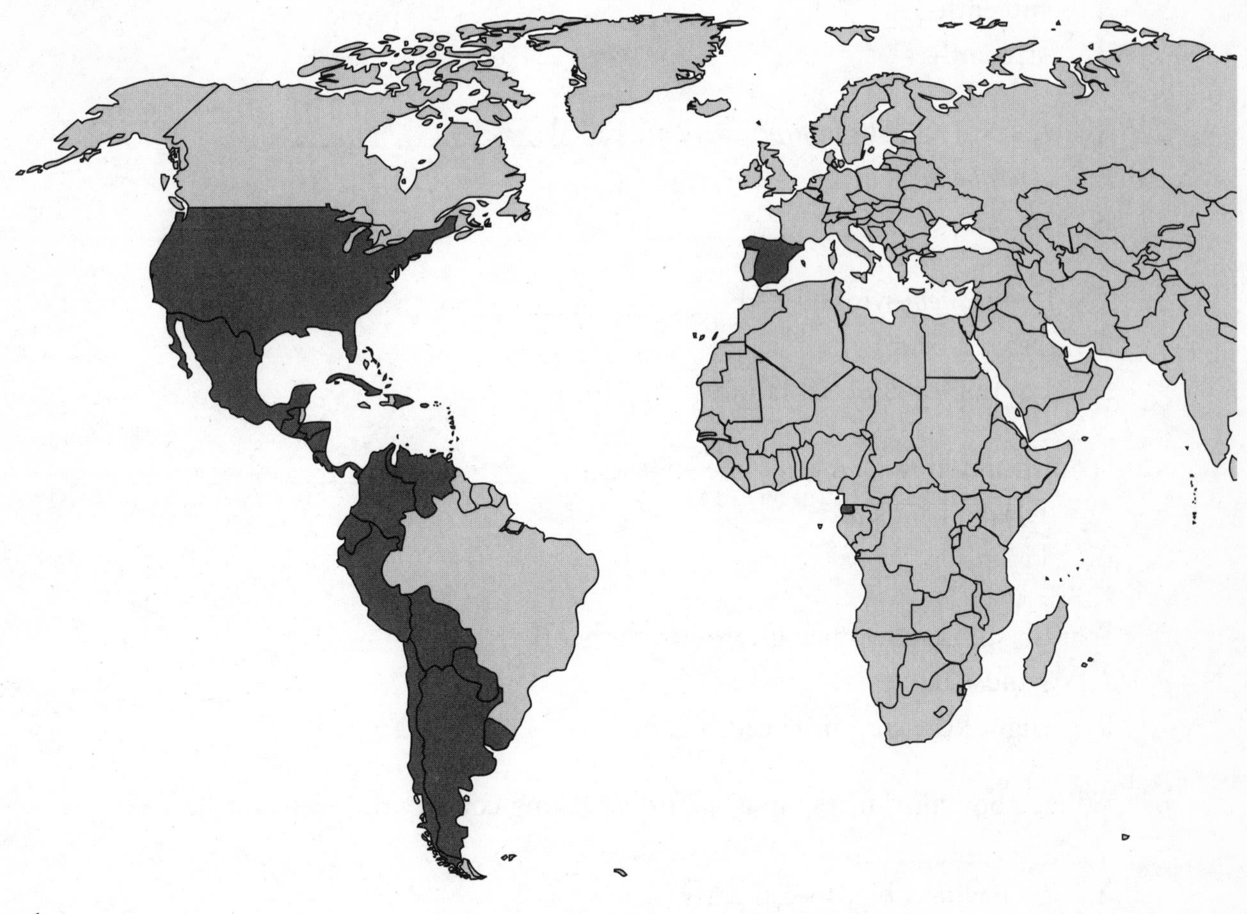

1. ____
2. ____
3. ____
4. ____
5. ____
6. ____
7. ____
8. ____

Nombre: ______________________________ Fecha: ______________

6 **Put a circle around the letter that best completes the following sentences.**

1. La *quinceañera* celebrates a girl's ______________ birthday.
   A. fifteenth
   B. sixteenth

2. Male escorts at a girl's *quinceañera* are called ______________.
   A. *chambelanes*
   B. *damas*

3. The *quinceañera* symbolizes a ______________.
   A. driver's permit
   B. coming-of-age celebration

4. Spanish speaking men greet one another by ______________.
   A. relaxed handshake
   B. kissing

5. Spanish speaking women greet one another by ______________.
   A. handshake
   B. slight kisses on the cheek

6. When a boy turns fifteen in a Spanish speaking country they celebrate it ______________.
   A. by having a big, special party
   B. like any other birthday

7 **Write down the appropriate definite articles for the following countries.**

1. ______ Argentina
2. ______ Estados Unidos
3. ______ Perú
4. ______ Uruguay
5. ______ República Dominicana
6. ______ Salvador

mbre: ______________________ Fecha: ______________

Lección B

1 Fill in each blank with the most appropriate word.

A: ¿Cómo (1)____________________ Ana?

B: Estoy (2) ____________________ bien, gracias.

A: ¿Qué (3) ____________________?

B: (4) ____________________, muy (5) ____________________.

A: ¿(6) ____________________ estás, Raúl?

B: Estoy bien, (7) ____________________ Luisa.

A: Buenos días, Sr. López. ¿Cómo (8) ____________________ Ud.?

B: Estoy bien, gracias. Hasta (9) ____________________.

A: Hola Pedro, ¿(10) ____________________ tal?

B: (11)____________________ Javier, muy mal.

Nombre: ______________________ Fecha: ______________

2 How would you address these people? Choose either *tú, Ud., Uds., vosotras* or *vosotros.*

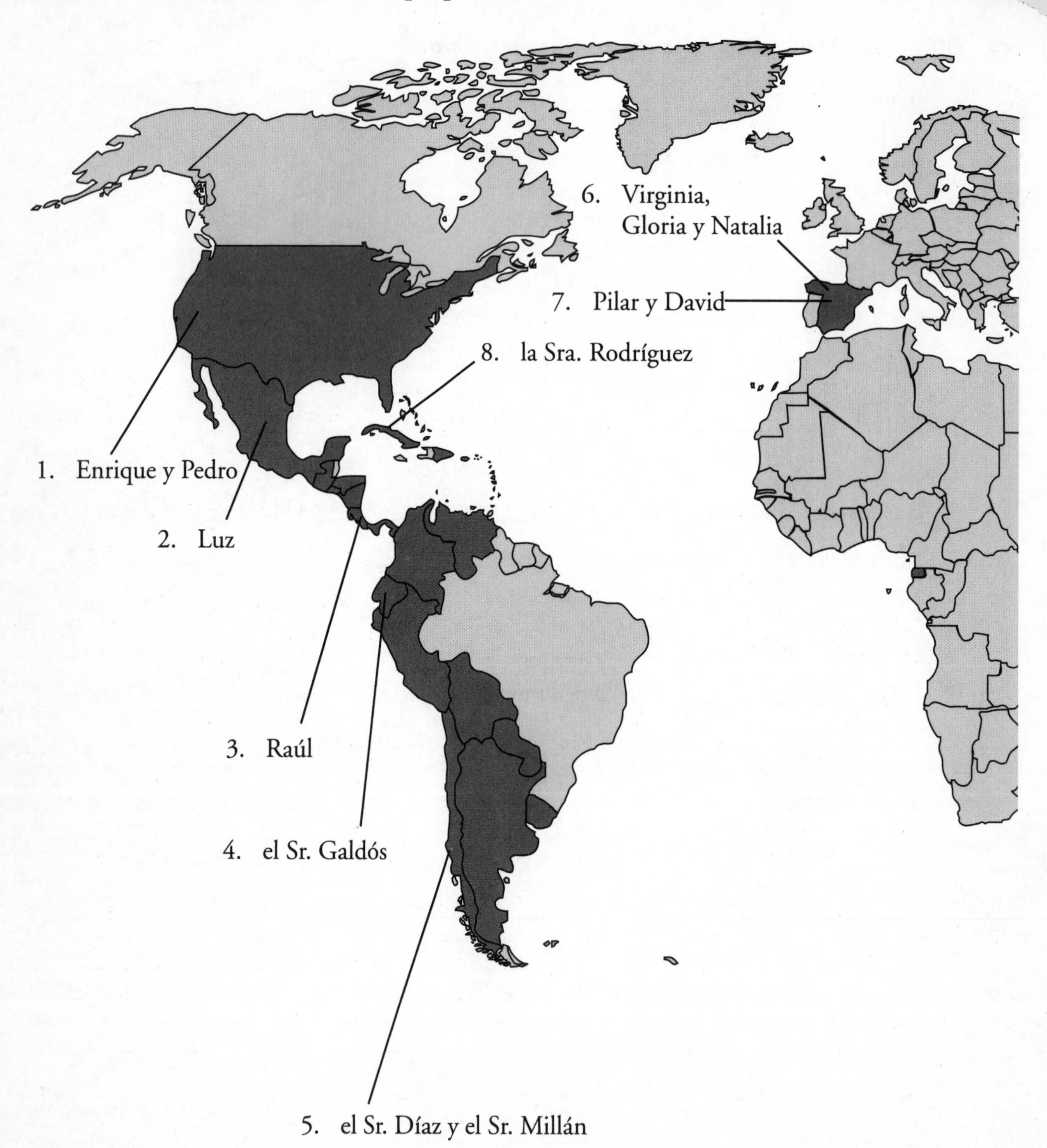

Nombre: ______________________________ Fecha: ________________

3 **Fill in the blank with the number that completes the sequence. Write out the number in Spanish.**

1. veinte, treinta, ______________________, cincuenta
2. ochenta y cinco, noventa, ______________________, cien
3. veintidós, veinticuatro, veintiséis, ______________________
4. cuarenta y cuatro, cincuenta y cinco, sesenta y seis, ______________________
5. doce, veinticuatro, ______________________, cuarenta y ocho
6. veinticinco, cincuenta, setenta y cinco, ______________________
7. cuarenta y dos, ______________________, cincuenta y seis, sesenta y tres
8. sesenta y tres, setenta y dos, ______________________, noventa
9. cincuenta y seis, ______________________, setenta dos, ochenta, ochenta y ocho
10. sesenta, setenta, ______________________, noventa

4 **Indicate which of these expressions you would use in the following situations.**

Con permiso.	Tres, por favor.	Lo siento.
Perdón, ¿Qué hora es?	Muchas gracias.	Con mucho gusto.
Perdón.	De nada.	No, gracias.

1. Someone thanks you for doing something. ______________________
2. Someone returns your pen to you. ______________________
3. You bump into someone. ______________________
4. You want to politely refuse an offer to do something. ______________________
5. You did not hear what your teacher said to you. ______________________
6. You wish to interrupt someone to ask what time it is. ______________________
7. You are standing on an elevator behind other people and you want to exit.

   ____
8. You politely ask to buy three stamps. ______________________
9. A friend asks you to borrow a piece of paper. ______________________

Nombre: ______________________ Fecha: ______________

5 **Tell the time in Spanish.**

1. ______________________

2. ______________________

3. ______________________

4. ______________________

5. ______________________

6. ______________________

7. ______________________

8. ______________________

9. ______________________

10. ______________________

11. ______________________

12. ______________________

Nombre: ______________________ Fecha: ______________

Capítulo 2

Lección A

1 Answer the following questions using the information in parenthesis as a cue.

1. ¿De dónde es él? (San Francisco)

   ____

2. ¿Cómo se llama él? (Alfredo)

   ____

3. ¿Quién es él? (Rafael)

   ____

4. ¿De dónde son ellos? (Los Ángeles)

   ____

5. ¿Quién es ella? (Sofía)

   ____

6. ¿De dónde es ella? (Bogotá)

   ____

7. ¿Cómo se llama ella? (Adriana)

   ____

2 Complete the sentences logically with the correct form of *ser*.

1. Él ______________________________ de Caracas, Venezuela.
2. Yo ______________________________ de Bogotá, Colombia.
3. Tú ______________________________ de Quito, Ecuador.
4. Uds. ______________________________ de Lima, Perú.
5. Nosotros ______________________________ de Santiago, Chile.
6. Ud. ______________________________ de Buenos Aires, Argentina.
7. Ellas ______________________________ de Montevideo, Uruguay.
8. Ella ______________________________ de Asunción, Paraguay.

3 **Identify the following objects in Spanish. Be sure to use the correct article.**

1. ____________________ 2. ____________________ 3. ____________________

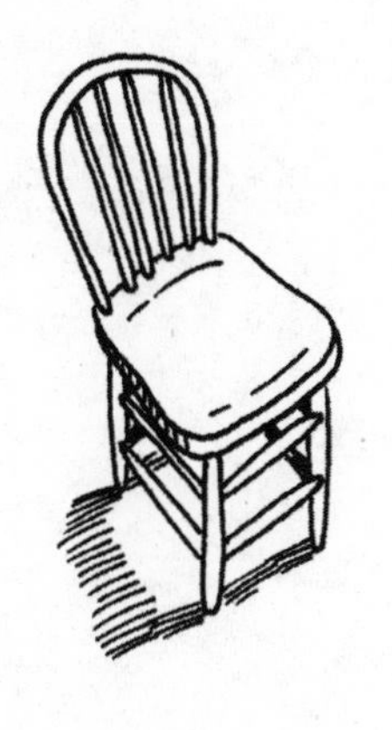

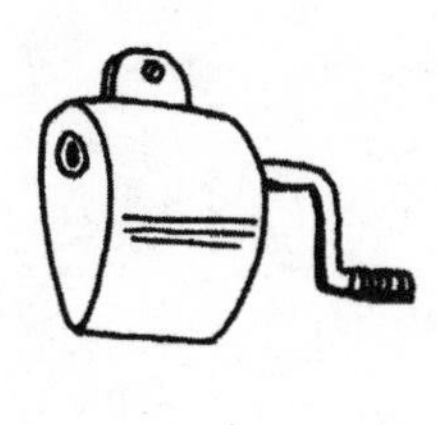

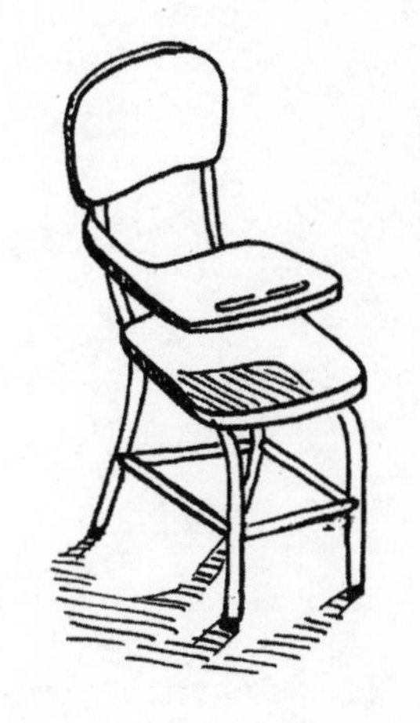

4. ____________________ 5. ____________________ 6. ____________________

7. ____________________ 8. ____________________ 9. ____________________

Nombre: ______________________ Fecha: ______________

4 **Match the following places on the map with their English equivalents.**

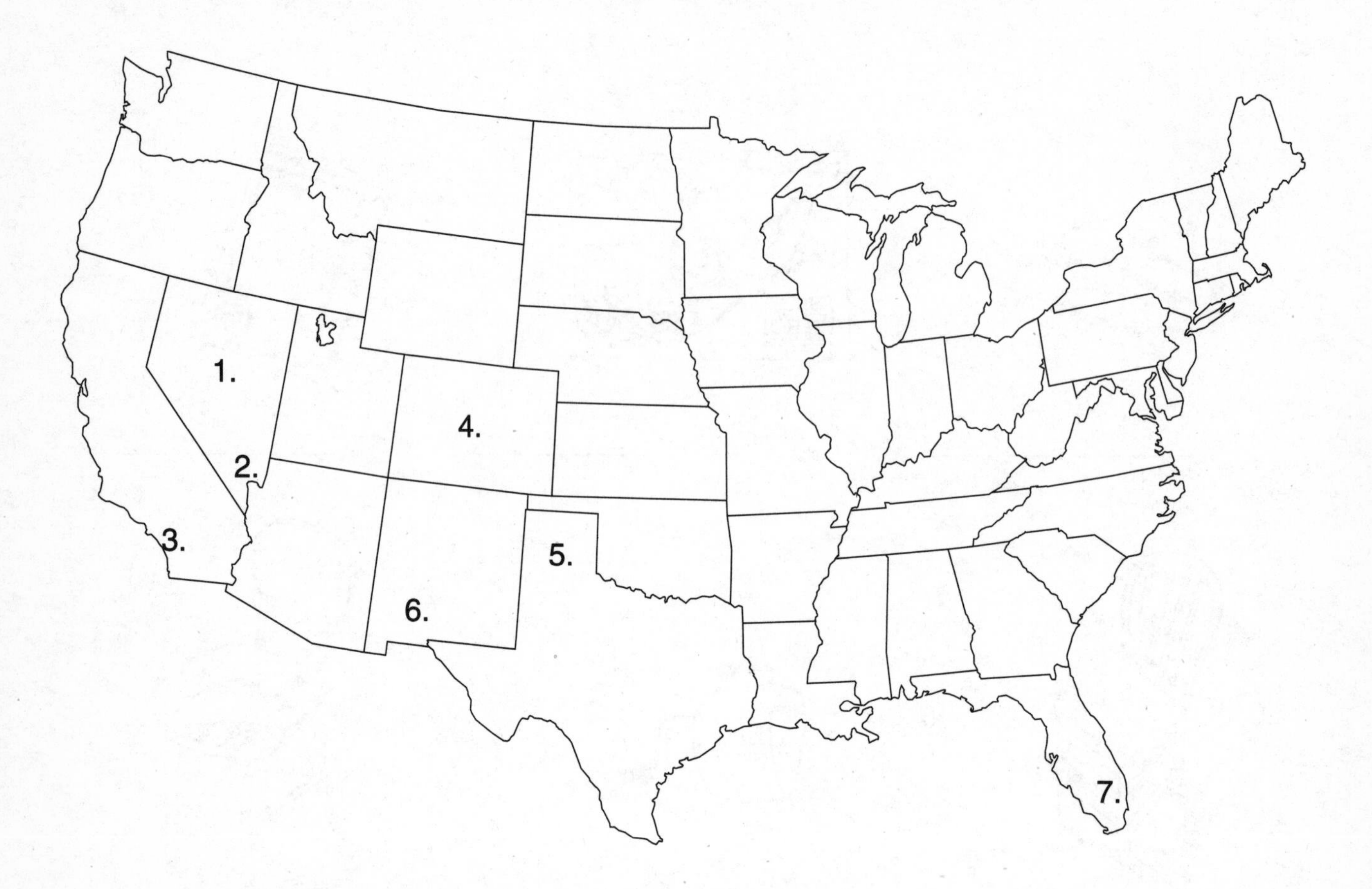

_____1. Nevada	A. fertile lowland
_____2. Las Vegas	B. big river
_____3. Los Ángeles, California	C. the angels
_____4. Colorado	D. red-colored
_____5. Amarillo, Texas	E. snow covered
_____6. Río Grande	F. mouth of the mouse
_____7. Boca Ratón, Florida	G. yellow

Nombre: ______________________________ Fecha: ________________

5 **Fill in each blank with the correct definite article.**

1. _____ ventana
2. _____ escritorio
3. _____ lección
4. _____ actividad
5. _____ profesor

6 **Write the plural form of the following nouns.**

1. el libro ______________________________
2. la chica ______________________________
3. el borrador ______________________________
4. el lápiz ______________________________
5. el papel ______________________________

7 **Complete the paragraph with *un, una, unos* or *unas* to indicate what there is in the classroom.**

La clase de la Sra. Garza es grande. Hay cuatro ventanas y una puerta. En la clase hay (1) ____________ escritorio, (2) ____________ pupitres y (3) ____________ sillas, (4) ____________ reloj, (5) ____________ cesto de papeles, (6) ____________ pizarra y (7) ____________ sacapuntas. Los alumnos tienen (8) ____________ libros y (9) ____________ bolígrafos en sus mochilas.

Nombre: ______________________ Fecha: ______________

Lección B

1 Imagine you are a new student at San Mateo High School in Mexico. Your key pal is asking you about your school day. Look at the schedule below and answer the questions with complete sentences in Spanish.

HORA	LUNES	MARTES	MIÉRCOLES	JUEVES	VIERNES
8:30	historia	historia	historia	historia	historia
9:30	inglés	inglés	inglés	inglés	inglés
10:30	biología	biología	biología	biología	biología
11:30	ALMUERZO	ALMUERZO	ALMUERZO	ALMUERZO	ALMUERZO
12:00	matemáticas	matemáticas	matemáticas	matemáticas	matemáticas
1:00	español	español	español	español	español
2:00	música	arte	música	arte	música

1. ¿A qué hora es la clase de historia?

   ____

2. ¿A qué hora es la clase de inglés?

   ____

3. ¿Cuándo termina la clase de español?

   ____

4. ¿Qué clase termina a las nueve y media?

   ____

5. ¿Cuándo es la clase de música?

   ____

6. ¿Hay clases a las once y media?

   ____

7. ¿Qué días tienes clases de música?

   ____

8. ¿Qué días tienes clases de arte?

   ____

2 **Correct these descriptions by replacing the underlined words with the words in parentheses. Remember to make all the nouns and adjectives agree and to change the verb forms when necessary.**

MODELO Es una blusa azul. (rojo)
No, es una blusa roja.

1. El escritorio es rojo. (la falda)
   ____
2. Los zapatos son negros. (la silla)
   ____
3. Yo llevo una camiseta blanca. (nuevo)
   ____
4. Hay dos cuadernos grises. (uno)
   ____
5. Tengo dos libros nuevos. (azul)
   ____
6. Marta lleva una falda amarilla. (unos calcetines)
   ____
7. Hay un chico bueno. (una profesora)
   ____

Nombre: ______________________________ Fecha: ____________________

3 **Tell what happens in a typical day, using the indicated verbs.**

1. Mis amigos y yo ____________________ con el profesor de biología. (hablar)
2. Ella no ____________________ la tarea. (terminar)
3. Nosotros ____________________ jeans. (llevar)
4. Tú ____________________ español con Marta. (estudiar)
5. La clase de matemáticas ____________________ a las diez y media. (terminar)
6. Luisa y Jorge ____________________ unos lápices. (necesitar)
7. Los chicos ____________________ camisas nuevas hoy. (llevar)
8. Yo ____________________ con unas chicas. (hablar)
9. Marta y Anita ____________________ un cuaderno nuevo. (necesitar)
10. Ud. ____________________ mucho. (estudiar)

4 **Write the names of the following items in Spanish.**

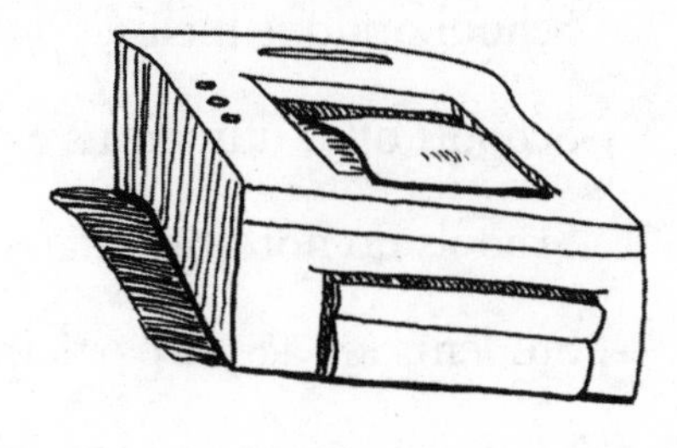

1. ____________________

2. ____________________

3. ____________________

4. ____________________

5. ____________________

6. ____________________

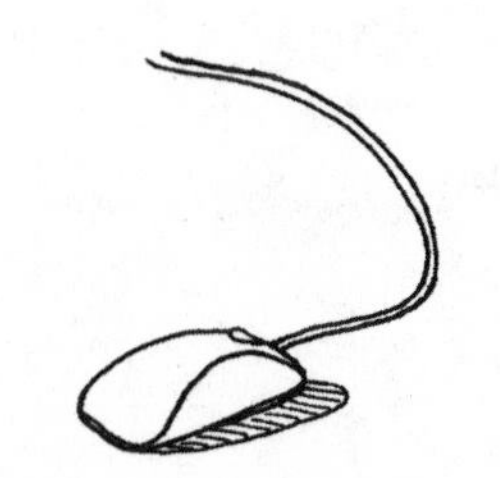

7. ____________________

5 **Decide whether the following statement about schools in Spanish-speaking parts of the world are *cierto* (C) or *falso* (F).**

1. C F School options include public and private schools.
2. C F Schools offer numerous extracurricular activities.
3. C F Schools do not offer many elective choices.
4. C F Students are active participants in class.
5. C F Students are required to take a comprehensive exam at the end of the year that will determine if they pass or fail.
6. C F Schools use a numerical grading scale.
7. C F In general, a four or five is a minimum passing grade.
8. C F A "B" on the scale means excellent.

6 **Complete the following sentences with the correct forms of *estar*.**

1. Yo ______________________________ en España.
2. Los libros ______________________________ en la mochila.
3. Tú ______________________________ en la clase.
4. El periódico ______________________________ en el cesto de papeles.
5. Nosotros ______________________________ en México.
6. Martín y Ud. ______________________________ en Las Vegas.
7. Rosa y yo ______________________________ en la casa.
8. El reloj ______________________________ en la pared.
9. Ella ______________________________ bien.
10. Ud. ______________________________ en Ecuador.

Nombre: ______________________________ Fecha: ______________

Capítulo 3

Lección A

1 Complete the following conversation with words from the list.

quiero	biblioteca	gusto	autobús
vamos	parque	encantada	presento

LEONOR: Allí está mi amiga. ¡Hola Leonor! Te (1)______________a Graciela.

MAGDALENA: Tanto (2)______________.

GRACIELA: (3)______________.

LEONOR: ¿Por qué no vamos al (4)______________?

MAGDALENA: Lo siento, no (5) ______________caminar.

LEONOR: ¿Por qué no vamos a la (6)______________?

MAGDALENA: ¡Sí, claro! Necesito unos libros para la clase de historia.

GRACIELA: Tomamos el (7)______________?

LEONOR: ¡Sí! ¡(8)______________!

2 Complete the following sentences with the words from the list.

de	del	de la	a
al	te	le	les

MODELO ¡Hola, Rosario! Te presento a mi amigo Iván.

1. Jaime, _____ presento _____ Gerardo y a Inés.
2. Sr. y Sra. Murillo, _____ presento a Josefa, la estudiante de _____ Sra. Trujillo.
3. Profesor Machado, _____ presento _____ Manolo.
4. Cristina, _____ presento a doña Elvira.
5. Eduardo y Mauricio, _____ presento _____ amigo _____ Rafael.
6. Gracia y Carolina, _____ presento _____ profesor de la clase de español.
7. Srta. Carranza, _____ presento a mi amigo David.

Nombre: ______________________ Fecha: ______________

3 **Complete the questions on the left with the words from the box below.**

Cómo	Cuántos	Dónde	Quién
Cuál		Qué	
CUÁNDO	Por qué	Cuánto	Quiénes

1. ¿______________________ están ellos? ¿En México?
2. ¿______________________ estás? ¿Bien?
3. ¿______________________ libros hay en la mesa?
4. ¿______________________ hora es?
5. ¿______________________ tomas el autobús? ¿No quieres caminar?
6. ¿______________________ es de Colombia?
7. ¿______________________ es la fiesta? ¿Hoy?

Nombre: ______________________ Fecha: ______________

4 **Change the following sentences to questions.**

1. Ellos van al banco.

____

2. Mis amigos estudian arte en el museo.

____

3. Gabriel y Gertrudis toman el metro al cine.

____

4. Nosotros estamos en Tenochtitlán.

____

5. La amiga de Emilia es simpática.

____

6. Uds. hablan español.

____

7. Tú caminas a la escuela.

____

5 **Write in Spanish the names of the following modes of transportation.**

1. ______________________

2. ______________________

3. ______________________

4. ______________________

5. ______________________

6. ______________________

7. ______________________

8. ______________________

Nombre: ______________________________ Fecha: ____________________

6 **Choose the best answer for the following questions.**

1. Which of the following is **not** a term that refers to the country of Mexico.
   A. *el D.F.*
   B. *La República*
   C. *México*
   D. *los Estados Unidos Mexicanos*

2. What is the main plaza in Mexico City called?
   A. *el Templo Mayor*
   B. *el Castillo*
   C. *el Zoológico*
   D. *el Zócalo*

3. What is the *Paseo de la Reforma*?
   A. the excavated ruins of Tenochitlán
   B. a main temple of the Aztec capital
   C. a street that joins *El Palacio Nacional* and *Parque de Chapultapec*
   D. the park that contains exhibits of art, architecture and culture

4. Which of the following describes transportation options in Mexico?
   A. poor
   B. expensive
   C. varied
   D. limited

5. Which of the following does **not** describe owning a car in Mexico?
   A. Cars must drive on the left side of the road.
   B. Parking spaces are difficult to find.
   C. Because of high taxes, cars are expensive to purchase and maintain.
   D. Parking is expensive.

6. Which of the following represents the best public transportation bargain?
   A. trains
   B. taxis
   C. buses
   D. the subway

7 Complete the following sentences with the appropriate form of *ir*.

1. Yo _______________ al cine.
2. Claudia y yo _______________ al parque en bicicleta.
3. Tú _______________ al museo mañana, ¿verdad?
4. Uds. _______________ al Parque de Chapultepec.
5. Guillermo y Arturo _______________ al Museo de Antropología en metro.
6. Las dos chicas _______________ en avión a México.
7. Andrea _______________ a la fiesta en el Zócalo.

Nombre: ______________________________ Fecha: ______________

Lección B

1 Identify the following places in the city in Spanish. Complete the sentence with an appropriate place in the city.

calle	centro	ciudad
edificio	museo	plaza
restaurante	teatro	tienda

1. El taxi va por la ______________________________.
2. Hay tacos y ensaladas en un ______________________________.
3. Ves un concierto en el ______________________________.
4. Hay estatuas famosas en la ______________________________.
5. Hay muchas tiendas en el ______________________________.
6. Ves arte moderno en el ______________________________.
7. Compras zapatos y camisas en la ______________________________.
8. El Distrito Federal es una ______________________________ grande.
9. Hay muchos apartamentos en el ______________________________.

Nombre: ______________________________ Fecha: ______________

2 Change the sentences to express what the following people are going to do.

MODELO Ramón va al teatro
Ramón va a ir al teatro.

1. Uds. visitan el edificio.

____

2. Tú comes en el restaurante La Canasta.

____

3. Luis y yo hablamos con los amigos de Catalina.

____

4. Manuel y José caminan por el parque.

____

5. Nico y Paco están en clase.

____

6. Felipe y Juana hacen la tarea.

____

7. El Sr. Vargas y la Sra. Obregón van al concierto.

____

8. Yo estudio para el examen.

____

9. Claudia termina el proyecto.

____

10. Ud. lleva calcetines.

____

11. Nosotros vamos al restaurante.

____

Nombre: ______________________________ Fecha: ____________________

3 **Ramón and Ana are in the Restaurant Boca Chica. Complete their conversation with the words from the list.**

comer	cómo no	ensalada	leer	agua
mesero	naranja	pollo	pregunta	tomar

Ramón y Ana van a un restaurante. Ellos quieren (1)____________________ un menú. El (2)____________________ hace una (3)____________________ a los chicos. Ramón quiere (4)____________________ pescado. Ana quiere comer (5)____________________. Ella quiere una (6)____________________ también. Ramón va a (7)____________________ un refresco. Ana no va a beber jugo de (8)____________________, va a tomar (9)____________________ mineral. El mesero dice, "(10)¡____________________!"

4 **Express the following in Spanish using the list to the right.**

1. Aztec ruins
2. a thick, spicy, dark brown sauce of various chiles, sesame seeds, chocolate, herbs and spices.
3. mineral water
4. an art gallery
5. one of the largest universities in the world
6. main meal
7. fruit drinks
8. Mexico City
9. late lunch
10. a beautiful park

A. agua mineral
B. Alameda
C. el almuerzo
D. la comida principal
E. el Distrito Federal
F. jugos
G. mole poblano
H. el Palacio de Bellas Artes
I. la Plaza de las Tres Culturas
J. la Universidad Autónoma de México

5 Complete the dialog by filling in the blanks with the correct forms of the verbs indicated.

1. ¿____________ Alfredo y Ud. el mole poblano? (comer)
2. Sí, Alfredo ______________ el mole poblano, pero yo no __________ el mole poblano. (comer)
3. ¿____________ ellos las preguntas? (comprender)
4. No, ellos no ______________ las preguntas. (comprender)
5. ¿__________ tú el monumento de Benito Juárez? (ver)
6. Sí, yo __________ el monumento. (ver)
7. ¿_________ Uds. muchos libros? (leer)
8. Sí, nosotros ______________ muchos libros. (leer)
9. Srta. Campos, ¿____________Ud. dónde está el Zócalo? (saber)
10. Sí, yo ____________ dónde está el Zócalo. (saber)

Nombre: ______________________ Fecha: ______________

Capítulo 4

Lección A

1 Identify the following family members in Spanish.

1. Yo soy el/la ______________________ de mis padres.
2. Mi madre es la ______________________ de mi padre.
3. El padre de mi padre es mi ______________________.
4. Yo soy el/la ______________________ de mis abuelos.
5. La hija de mi madre es mi ______________________.
6. El hermano de mi padre es mi ______________________.
7. El hijo de mi abuelo es mi ______________________.
8. La hija de mi tía es mi ______________________.
9. Los hijos de mi hermano son mis ______________________.
10. Yo no tengo hermanos ni hermanas. Soy ______________________.

2 Complete the sentences with the correct form of the possessive adjective based on the subject in parenthesis.

MODELO Pepe es ______________(nosotros) amigo.
Pepe es nuestro amigo.

1. Mariana es ______________________ (yo) hermana.
2. Rafael es ______________________ (nosotros) primo.
3. ¿Dónde están ______________________ (tú) abuelos?
4. Alonso es ______________________ (ellos) tío favorito.
5. Gilberto quiere ir al parque con ______________________ (él) amigo, Homero.
6. Estela vive con ______________________ (ella) padres.
7. (Uds.) ______________________ hermanos se llaman Dorotea y Rogelio.
8. (tú) ______________________ profesora se llama Sra. Zapata.

3 **Create sentences using the following elements and the verb *vivir* to tell where the following people live.**

1. tú/Buenos Aires

____

2. yo/Ponce

____

3. nosotros/San Juan

____

4. mis abuelos/Caracas

____

5. Juan y tú/Santiago

____

6. Mario/Puerto Plata

____

7. María y Alejandra/Santo Domingo

____

8. Uds./una casa grande

____

Nombre: ______________________ Fecha: ______________

4 **Choose the expression from the box that fits the situation described below.**

abierta	frío	apurado	cansado
libre	nerviosa		
SUCIA	contenta	triste	

1. Elena no está contenta, ella está ______________________.
2. Mi café no está caliente, está ______________________.
3. Mi ventana no está cerrada, está ______________________.
4. El teléfono no está ocupado, está ______________________.
5. Luisa tiene un examen hoy, ella está ______________________.
6. Mi mochila no está limpia, está ______________________.
7. Mi abuelo necesita dormir. Él está ______________________.
8. Es la una y veinticinco. La clase de español es a la una y media. Yo estoy ______________________.
9. Hay un concierto bueno mañana y Claudia va a ir. Ella está ______________________.

5 Identify the following statements as *cierto* (C) or *falso* (F).

1. C F In 1952, Puerto Rico became a state.
2. C F The capital of Puerto Rico is San Juan.
3. C F *El Yunque* is the only tropical rain forest found in the U.S. National Forest System.
4. C F In 1493, Christopher Columbus claimed the island of Puerto Rico for England.
5. C F *El Castillo de San Felipe del Morro* is the government center of Puerto Rico.
6. C F Traditionally, in Spanish-speaking countries, many married women use both their husband's and their father's family names.
7. C F In some Spanish-speaking countries, women keep the name they had before marriage.
8. C F In Spanish-speaking countries, children are named only with their father's family name.

Nombre: ______________________________ Fecha: ____________________

6 **Rewrite these sentences by replacing the underlined word with the word in parenthesis. Make appropriate changes.**

1. Mi hermano está enfermo. (Mis hermanos)

____

2. La puerta está abierta. (cerrado)

____

3. Los refrescos están fríos. (caliente)

____

4. El carro está sucio. (La playa)

____

5. Mi hermano está loco. (Mis profesores)

____

6. Yo estoy ocupado. (Nosotros)

____

7. Julia y Raúl están tristes. (Yo)

____

Nombre: ______________________________ Fecha: ______________

Lección B

1 Identify the following activities in Spanish.

1. ______________________

2. ______________________

3. ______________________

4. ______________________

5. ______________________

6. ______________________

7. ______________________

8. ______________________

9. ______________________

10. ______________________

Nombre: ______________________ Fecha: ______________

2 **Create sentences to say what the following people like or like to do.**

MODELO yo/tocar el piano
Me gusta tocar el piano.

1. tú / leer mucho

   ____

2. Marcos y yo / el correo electrónico

   ____

3. Amalia y Mateo / la clase de historia

   ____

4. Ud. / ir de compras

   ____

5. Beto / las computadoras

   ____

6. el Sr. Madero y Ud. / mirar fotos

   ____

7. Carlota y Berta / hacer la tarea

   ____

8. yo / los libros

   ____

9. nosotros / patinar sobre ruedas

   ____

Nombre: ______________________________ **Fecha:** ______________

3 **Beatriz and her friends love sports. Using the cues given below, create sentences about what Beatriz and her friends like.**

MODELO Eva/nadar
A Eva le gusta nadar.

1. nosotros/patinar sobre ruedas.

____

2. yo/ir a los partidos de fútbol

____

3. Rosita y Victoria/la playa

____

4. Karina y Rolando/bailar

____

5. Pancho/caminar en el parque

____

6. tú/ver partidos de basquétbol en la televisión

____

7. Manuela y yo/nadar

____

8. Manolo y Jorge/los partidos de básquetbol

____

Nombre: ______________________________ Fecha: ______________

4 **Fill in the blanks with the opposite of the underlined adjectives.**

1. ¿Es Juan <u>inteligente</u>? No, Juan es ______________________.
2. La clase no es <u>aburrida</u>. Al contrario, la clase es ______________________.
3. El carro no es <u>lento</u>, es muy ______________________.
4. ¿Es el Sr. Vargas <u>egoísta</u>? No, él es ______________________.
5. ¿Es Celia <u>alta</u>? No, ella es ______________________.
6. Mi primo no es <u>delgado</u>. Al contrario, él es ______________________.
7. Mi tío no es <u>moreno</u>. Él es ______________________.
8. ¿Es tu hermano <u>guapo</u>? No, él es ______________________.
9. Mi hermanita no es <u>tonta</u>. Al contrario, ella es ______________________.

5 **Complete the following sentences with information about the Dominican Republic.**

1. ______________________ was the first capital of the Americas.
2. The Caribbean island of ______________________ is shared by the Dominican Republic and ______________________.
3. More foreign-born U.S. professional ______________________ players originate from the Dominican Republic than from any other country.
4. The ______________________ is the national dance of the Dominican Republic.
5. ______________________ is a popular Dominican musician.

6 Use the correct form of *ser* or *estar* to complete the following sentences.

1. Yo ______________________________ inteligente y generosa.
2. Nosotros ______________________________ muy contentos hoy.
3. El agua mineral ______________________________ fría.
4. ¿Cómo ______________________________ tú hoy?
5. Español ______________________________ mi clase favorita.
6. Haití y la República Dominicana ______________________ en la isla de La Española.
7. Tú ______________________________ muy cómica.
8. Nosotros ______________________________ de la República Dominicana.
9. Yo ______________________________ apurado hoy.

Nombre: ______________________________ Fecha: ______________

Capítulo 5

Lección A

1 Use the words provided to complete the sentences with items that Paco is going to find in an electronics store.

artículos electrónicos
el disco compacto
la grabadora
el quemador de CDs
el reproductor de CDs
el reproductor de DVDs

1. Paco va a la tienda para comprar muchos ______________________.
2. Paco va a ver un DVD con nuestro ______________________.
3. Paco va a escuchar un disco compacto en nuestro ______________________.
4. Paco va a usar un ________________ para hacer una copia de un CD.
5. Paco va a comprar el ______________ que tiene la canción *Loco amor.*
6. Paco va a escuchar el casete en la ____________________.

2 **Lupe and Ana are going to the electronics store. Complete their conversation using the correct forms of the verb *tener*.**

LUPE: Necesito comprar un disco compacto para Ricardo.

ANA: ¿(1)______________________________ la tienda SuperCool el CD que necesitas?

LUPE: Probablamente, ¿quieres ir conmigo?

ANA: Sí, ¡Vamos!

(En la tienda SuperCool)

SEÑOR: ¿Qué buscan Uds?

ANA: ¿(2)______________________________ Ud. el nuevo CD de los Super Seis?

SEÑOR: No, nosotros no (3) ______________________________ el CD, pero nosotros (4)______________________________ muchos otros CDs.

LUPE: Ana, ¿(5)______________________________ el Nuevo CD del grupo Maníaco?

ANA: Sí, yo (6) ______________________________ el CD y es muy bueno. Ricardo no (7)______________________________ el CD.

LUPE: Señor, ¿(8)______________________________ Ud. el nuevo CD del grupo Maníaco?

SEÑOR: Sí, nosotros (9)______________________________ el CD.

ANA: ¡Fantástico! Ricardo va a estar muy contento con su nuevo CD.

Nombre: ______________________________ Fecha: ____________________

3 **Using *qué* and an adjective, tell how you feel in the following circumstances.**

MODELO A friend, Miguel, just got a haircut.
¡Qué guapo!

1. You just saw a giraffe at the zoo.

____

2. Your best friend can't come to your party.

____

3. You just took a sip of very hot coffee.

____

4. You just got an "A" on your Spanish test.

____

5. You just watched a very sad movie on DVD.

____

6. It is snowing, and it is very cold outside.

____

7. A friend just gave you his MP3 player.

____

4 Unscramble the following days of the week.

1. senul

   ____

2. dbsáao

   ____

3. reviens

   ____

4. vejeus

   ____

5. sartem

   ____

6. modingo

   ____

7. reclémsio

   ____

Nombre: ______________________________ Fecha: ______________

5 **Choose the correct answer to complete the following statements.**

1. ______________ is the capital of Costa Rica.
   A. Puerto Limón
   B. San José
   C. Cariari
2. Costa Rica is a seasonal home to ______________ percent of the world's birds.
   A. ten
   B. fifteen
   C. twenty
3. There are over ______________ species of tropical plants in Costa Rica.
   A. 500
   B. 1,200
   C. 9,000
4. Which is not a term for rain forest? ______________
   A. *playa verde*
   B. *selva tropical*
   C. *bosque lluvioso*
5. Which of the following is false about Costa Rica: ______________
   A. One of Costa Rica's former presidents won a Nobel Peace Prize.
   B. Costa Rica has an active army.
   C. Costa Rica has a long democratic tradition.
6. Costa Rica is most famous for its: ______________
   A. ecological tourism
   B. gold and silver mines
   C. beach resorts
7. *Ticos* and *Ticas* are: ______________
   A. Costa Ricans
   B. people with blonde hair
   C. native birds to Costa Rica
8. ______________ is a positive response or reaction to almost any situation.
   A. *macho*
   B. *maje*
   C. *pura vida*
9. *El chunche* refers to: ______________
   A. a rare type of bird
   B. a thing
   C. a tropical fruit

6 **Express what you see in the classroom using *me, te, lo, la, los* or *las.***

1. ¿Ves el disco compacto? Sí ____________________ veo.
2. ¿Ves la puerta? Sí ____________________ veo.
3. ¿Ves los libros? Sí ____________________ veo.
4. ¿Ves los casetes? Sí ____________________ veo.
5. ¿Me ves? Sí ____________________ veo.
6. ¿Ves las computadoras? Sí ____________________ veo.

7 **Complete the following sentences with the *a personal* where necessary.**

1. Busco ____________________ mi amigo Alejandro.
2. No veo ____________________ el reproductor de MP3 nuevo.
3. Voy a llamar ____________________ mi abuelo en San José hoy.
4. Shakira y Soraya buscan ____________________ la profesora Zurburán.
5. Ella tiene ____________________ un nuevo reproductor de CDs.
6. A ella le gusta escuchar ____________________ los CDs.

Nombre: ______________________________ Fecha: ________________

Lección B

1 **Answer the following questions in complete Spanish sentences using the calendar below.**

DICIEMBRE						
lunes 25 *Navidad*	martes 26	miércoles 27	jueves 28 *mi cumpleaños*	viernes 29	sábado 30	domingo 31

1. Hoy es miércoles. ¿Qué día es mañana?

   ____

2. Hoy es miércoles. ¿Qué día fue ayer?

   ____

3. Hoy es miércoles. ¿Qué día fue anteayer?

   ____

4. Hoy es viernes. ¿Qué día es pasado mañana?

   ____

5. Hoy es sábado. ¿Qué día es mañana?

   ____

6. ¿Cuál es la fecha de la Navidad?

   ____

7. Hoy es viernes. ¿Cuándo fue mi cumpleaños?

   ____

2 Complete the dialog by filling in the correct forms of *venir*.

EUGENIO: ¿(1)________________ tú a mi fiesta de cumpleaños?

ANDRÉS: ¿Cuándo es?

EUGENIO: Es el sábado.

ANDRÉS: ¿Quién (2) ________________ a la fiesta?

EUGENIO: (3) ________________ muchos amigos divertidos.

ANDRÉS: ¿(4) ________________ Ana?

EUGENIO: Sí, Ana (5) ________________.

ANDRÉS: ¡Estupendo! ¿(6) ________________ Carlota y Eulalia?

EUGENIO: Sí, Carlota y Eulalia (7) ________________.

ANDRÉS: Claro que (8) ________________ a tu fiesta, con todas las chicas guapas.

EUGENIO: Puedes (9) ________________ temprano para ayudar?

ANDRÉS: ¡Sí, cómo no!

3 Everyone in María's family is looking forward to their birthdays. Based on the information below, state when each person celebrates a birthday.

MODELO 12.07 → el doce de julio

1. 09.08
____
2. 30.01
____
3. 13.11
____
4. 14.04
____
5. 25.02
____
6. 07.06
____
7. 17.09
____
8. 01.01
____
9. 21.03
____

Nombre: ______________________________ Fecha: ______________

4 Determine whether the following statements are *cierto* (C) or *falso* (F).

1. C F Nicaragua is the smallest country in Central America.
2. C F Managua is the capital of Nicaragua.
3. C F Lake Managua is one of the largest lakes in the world.
4. C F There are sharks and swordfish in Lake Nicaragua.
5. C F Nicaragua suffered a long civil war in the 1980s.
6. C F *El Día de Todos los Santos* is in February.
7. C F *El Día de los Santos Inocentes* is in April.
8. C F *La Semana Santa* is usually in April.
9. C F *El Día del Trabajo* is in October.

Nombre: ______________________ Fecha: ______________

5 **Gigante, a local store, is taking inventory of their electronic merchandise. Write down the quantity of each item the store currently has.**

1. 567 equipos de sonido

   ____

2. 3.479 casetes

   ____

3. 1.101 grabadoras

   ____

4. 29.865 discos compactos

   ____

5. 740 quemadores de CDs

   ____

6. 286 reproductores de CDs

   ____

7. 5.365 CDs

   ____

8. 690 computadoras

   ____

9. 149 reproductores de DVDs

   ____

Nombre: ______________________________ Fecha: ________________

6 **Answer the following questions in complete Spanish sentences using the cues provided.**

1. ¿Cuál es la fecha de hoy?
2. ¿Qué día es hoy?
3. ¿En qué mes estamos?
4. ¿En qué año estamos?
5. ¿Cuándo es tu cumpleaños?
6. ¿Qué celebras en noviembre?
7. ¿Cuándo celebramos el Día de la Independencia?

A. Celebramos el Día de la Independencia el cuatro de julio.
B. Estamos en el mes de abril.
C. Estamos en el año dos mil cuatro.
D. Mi cumpleaños es el vientitrés de septiembre.
E. Hoy es viernes.
F. Hoy es el veinticuatro de marzo.
G. En noviembre celebro el Día de Acción de Gracias.

Nombre: ______________________________ **Fecha:** ________________

Capítulo 6

Lección A

1 **Identify the following kitchen objects in the spaces below. Be sure to use the corresponding articles.**

1. ______________________

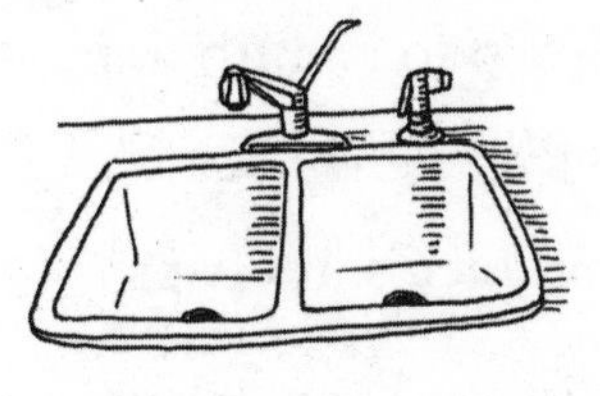

2. ______________________

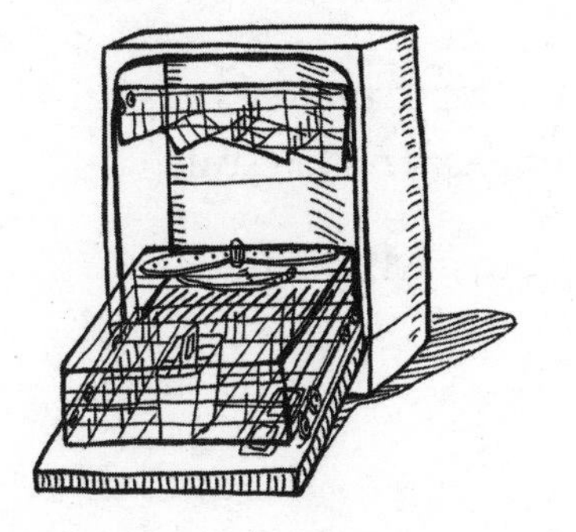

3. ______________________

4. ______________________

5. ______________________

6. ______________________

7. ______________________

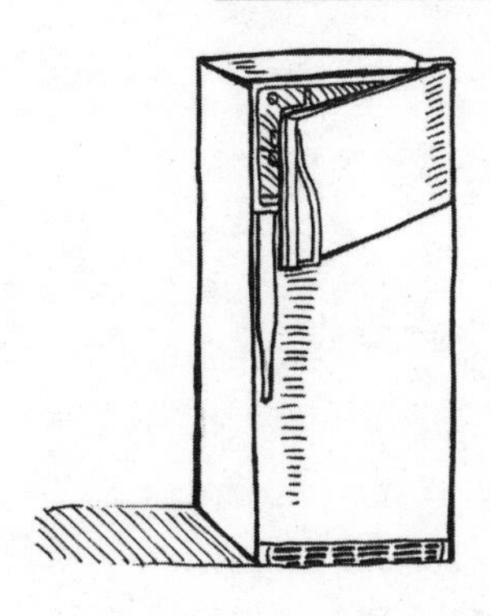

8. ______________________

Nombre: ______________________________ Fecha: ______________

2 Complete the following sentences with the correct form of *deber* or *tener que* as appropriate.

1. Yo ____________________ preparar la comida a las seis en punto.
2. Tu cuarto no tiene buena luz. Tú ____________________ encender la lámpara.
3. Mis amigos están cansados. Ellos ____________________ dormir mucho esta noche.
4. Antes de ir al partido de fútbol, tú ____________________ leer 10 páginas para la tarea de historia.
5. Los platos están sucios, mi papá ____________________ lavarlos hoy.
6. No tenemos diskettes para la computadora. ____________________ ir a la tienda para comprar unos diskettes nuevos.
7. Nosotros tenemos mucha hambre. Para hacer la comida rápidamente, nosotros ____________________ usar el horno microondas y no la estufa.
8. Hay ocho personas que van a comer y hay sólo siete platos. Mi madre ____________________ buscar otro plato.

Nombre: ______________________ Fecha: ______________

3 **Create sentences based on the information below.**

1. yo / pensar / poner / la mesa a las cinco y media

____

2. ellos / querer / hacer / una cena especial

____

3. nosotros / lo / sentir / mucho

____

4. ¿/ qué / pensar / Uds. / ?

____

5. nosotros / empezar / preparar / el almuerzo / a las once

____

6. mis / padres / preferir / comer / en el comedor

____

7. ¿/ venir / tú / a mi fiesta / este / sábado / ?

____

8. ¿/ preferir / ella / lavar los platos / o / usar el lavaplatos / ?

____

4 **Draw a circle around the item that does not logically belong to the group.**

1.	el zapato	el mantel	la mesa
2.	el pan	el casete	la mantequilla
3.	el televisor	el cuchillo	el tenedor
4.	el libro	la sal	la pimienta
5.	la cuchara	la cucharita	el cuaderno
6.	el café	el jugo	el pollo
7.	el aceite	la taza	la ensalada
8.	la mantequilla	la sopa	la cuchara
9.	la sopa	la ensalada	la lámpara
10.	el agua	el refresco	el pescado

Nombre: ______________________________ Fecha: ________________

5 **Choose the best answer to complete the following statements about Venezuela.**

1. Venezuela means ______________________.
   A. Little Venus B. Little Venice C. Low Valley

2. The capital of Venezuela is ______________________.
   A. Caracas B. Puerto Cruz C. Mérida

3. The highest waterfall in the world is ______________________.
   A. Iguazú Falls B. Niagara Falls C. Angel Falls

4. Venezuela is one of the world's largest producers of ______________________.
   A. oil B. coffee C. sugar cane

5. Venezuela is known for its ______________________ industry.
   A. emerald B. diamond C. pearl

6. Arepas are a kind of ______________________.
   A. cheese B. bread C. dessert

7. Arepas are made with ______________________.
   A. sugar, flour and water B. corn flour, salt and water C. sugar, salt and water

8. Hallacas are ______________________.
   A. a Venezuelan fruit B. a Venezuelan fish C. a Venezuelan dish

Nombre: ______________________________ Fecha: ________________

6 **Complete the dialogue between Gabriel and his sister Leonor as they decide how to set the table. Use the appropriate form of *este* in the blanks.**

1. LEONOR: ¿Prefieres usar la mesa en la cocina?
   GABRIEL: No, prefiero usar ____________________ mesa aquí en el comedor.

2. LEONOR: ¿Prefieres usar ese mantel?
   GABRIEL: No, prefiero usar ____________________ mantel blanco.

3. LEONOR: ¿Tenemos que usar esas servilletas verdes?
   GABRIEL: No, pero debemos usar ____________________ servilletas azules.

4. GABRIEL: ¿Quieres usar aquellos platos blancos?
   LEONOR: No, quiero usar ____________________ platos amarillos.

5. GABRIEL: ¿Debemos usar aquellos cuchillos viejos?
   LEONOR: No, necesitamos usar ____________________ cuchillos nuevos.

6. GABRIEL: ¿Debemos usar esos tenedores?
   LEONOR: No, debemos usar ____________________ tenedores.

7. GABRIEL: ¿Quieres usar esos vasos feos?
   LEONOR: No, quiero usar ____________________ vasos bonitos.

8. GABRIEL: Y finalmente, ¿quieres aquellas tazas ?
   LEONOR: No, necesitamos ____________________ tazas amarillas.

Lección B

1 Write down the appropriate place in the house to have or do the following.

1. ¿Dónde está la piscina?

   ____

2. ¿Dónde miras la televisión?

   ____

3. ¿Dónde te lavas las manos?

   ____

4. ¿Dónde pones el coche?

   ____

5. ¿Dónde nadas?

   ____

6. ¿Dónde preparas la cena?

   ____

7. ¿Dónde comes una cena elegante?

   ____

8. ¿Qué usas para llegar al primer piso desde la planta baja?

   ____

2 Eva is planning a party for Colombian students who will be visiting her school. Fill in the blanks with the correct forms of *decir* to complete her conversation with Pepe.

EVA: Yo quiero tener una fiesta para los alumnos colombianos que vienen a visitar nuestra escuela.

PEPE: ¿Vas a tener una fiesta pequeña o grande?

EVA: La Sra. Miró (1) ____________________ que la fiesta debe ser pequeña.

PEPE: Qué (2) ____________________ tus padres?

EVA: Mis padres (3) ____________________ que nosotros debemos hacer lo que quiere la maestra. ¿Qué (4) ____________________ tú?

PEPE: Yo (5) ____________________ que es tu fiesta.

EVA: ¿Vienen Paco y José?

PEPE: Ellos (6) ____________________ que sí.

EVA: ¿Viene Maricela?

PEPE: Ella (7) ____________________ que no puede.

EVA: Yo pienso que debemos invitar a todos nuestros amigos.

PEPE: Yo creo que tú y yo vamos a (8) ____________________ "¡Qué fiesta tan divertida!

Nombre: ______________________ Fecha: ______________

3 **Combine the elements below into logical sentences that reflect what the following people wish.**

MODELO yo /querer / tener / una casa nueva → Yo quiero tener una casa nueva.
Ellos /gustar /comprar / una casa nueva → Les gustaría comprar una casa nueva.

1. tú / querer / tener/ una piscina grande

____

2. nosotros / gustar / comprar / un refrigerador grande

____

3. Ud. / querer / comprar / una casa con dos baños

____

4. ella / gustar / tener / una cocina grande

____

5. el Sr.Murillo / querer / tener / un garaje para dos carros

____

6. yo /gustar / tener / un patio con muchas plantas

____

7. Uds. / querer / tener / una sala cómoda

____

8. Susana y Luisa / gustar / vivir en la ciudad

____

Nombre: ______________________________ Fecha: ______________________

4 **Choose the word from the list below that best fits the description below.**

calor	frío	cansados
hambre	miedo	prisa
sed	sueño	ganas de correr

1. Voy a dormir porque tengo ______________________.
2. Ellos tienen que cerrar las ventanas y la puertas. Ellos sólo llevan camisetas y tienen ______________________.
3. Son las siete y veinticinco y la fiesta empieza a las siete y media. Ella tiene ______________________.
4. Joaquín y Raúl necesitan comer. Ellos tienen mucha ______________________.
5. Julieta necesita beber mucha agua. Ella tiene mucha ______________________.
6. A mí no me gustan los perros. Yo les tengo mucho ______________________.
7. Yo quiero ir a la playa o a la piscina hoy. Hace mucho ______________________.
8. Nosotros no queremos estudiar. Debemos estudiar, pero estamos ______________________.
9. Julio no tiene ganas de hacer la tarea, él tiene ______________________ en el parque.

Nombre: ______________________________ Fecha: ________________

5 **Complete the sentences by choosing the most appropriate word from the list below.**

azoteas	castles	chalets	coffee
cumbia	elevations	emeralds	patios

1. Colombia's climate is determined by ______________, not seasons.
2. Colombia is known for producing large quantities of ______________.
3. Colombia is a major exporter of ______________.
4. The ______________ is a popular dance rhythm.
5. Some homes in Spanish-speaking parts of the world are like ______________.
6. Hispanic homes typically have ______________ at the back or in the middle of the residences.
7. ______________ are flat roofs of some houses in Spanish-speaking countries.
8. ______________, located on the outskirts of some cities, are becoming popular.

6 **Miguel discusses his after school routine. Fill in the blanks with the correct form of the verbs in parentheses.**

Yo soy un alumno bueno. Durante mis clases siempre escucho bien, pero a veces los maestros tienen que (1) ______________________(repetir) las instrucciones para la tarea. En la clase de español, la maestra nunca (2) ______________________(repetir) las instrucciones para la tarea porque los alumnos siempre escuchan. Yo empiezo la tarea cuando llego a casa. Mis padres (3) ______________________ (decir) que hacer la tarea es muy importante. Después de terminar la tarea, yo (4) ______________________ (pedir) permiso para ir al parque con mis amigos por una hora. Mis padres (5)______________________ (decir) que sí. Mi mamá (6)______________________(decir), "¡Hasta las seis!" porque tenemos que cenar a las seis. Ella va a preparar la cena mientras yo voy al parque. Mi hermano y yo siempre le (7)______________________ (pedir) pollo en mole a mi mamá. Mis hermanas siempre (8)______________________ (pedir) pescado. A veces yo llego a casa después de las seis y (9)______________________ (decir), "Lo siento", a mi mamá. Ella nunca está enojada porque yo soy muy bueno.

Capítulo 7 Lección A

Lección A

1 **You and your friends have big plans for the weekend. Based on the drawings, create sentences telling what you are going to do.**

MODELO Vamos a bailar.

1. ____________________
2. ____________________
3. ____________________

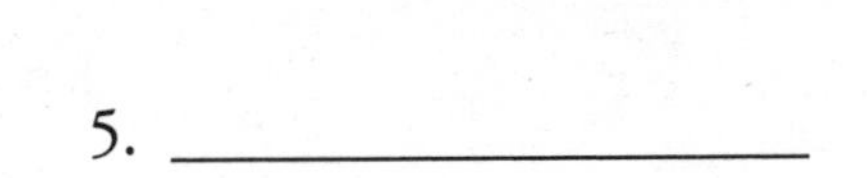

4. ____________________
5. ____________________
6. ____________________

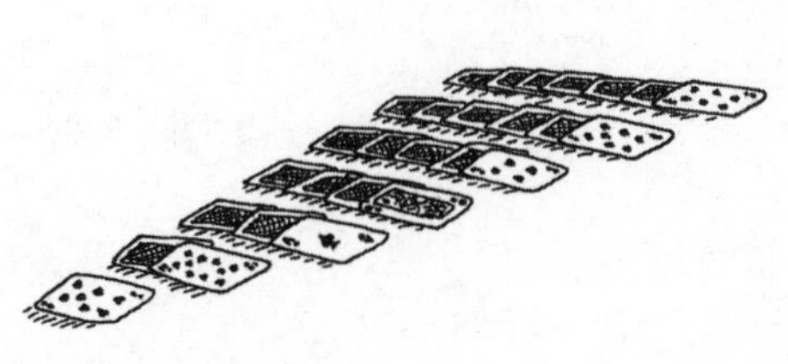

7. ____________________
8. ____________________

Nombre: ______________________________ Fecha: ________________

2 **Fill in the blanks with the correct form of the verb in parenthesis.**

1. Mis amigos y yo ______________________ (jugar) todo el tiempo.
2. Tú ______________________ (volver) de la escuela a las cuatro.
3. ¿______________________ (poder) tú jugar a las damas?
4. Manuel ______________________ (jugar) muy bien al básquetbol.
5. Yo ______________________ (poder) dibujar animales.
6. Uds. ______________________ (volver) al gimnasio a las siete.
7. Marta y Jaime no ______________________ (recordar) cómo jugar al ajedrez.
8. Luis y Paco ______________________ (jugar) al fútbol y al voleibol.
9. ¿Cuánto ______________________ (costar) esta pelota de básquetbol nueva?
10. Nosotros ______________________ (poder) jugar a los videojuegos después de hacer la tarea.

Nombre: ______________________ Fecha: ______________

3 Complete the dialog selecting appropriate words from the word list provided.

apagar	ahora mismo	alquilar	control remoto
esta noche	hace	mediodía	siglo

MARIO: No me gusta este programa. ¿ Tienes el (1) ______________?

PABLO: Sí, aquí está.

MARIO: Gracias.¿Qué hora es?

PABLO: Es (2) ______________.

MARIO: No hay ningún programa bueno para ver ahora. Debemos (3) ______________ el televisor.

PABLO: ¿Cuánto tiempo (4)______________que miramos la televión hoy?

MARIO: Hace una hora, pero parece casi un (5) ______________. ¿Quieres (6) ______________ una película?

PABLO: ¿Cuándo?

MARIO: (7) ______________. ¡Vamos a la tienda de videos!

PABLO: ¿Ahora? Estoy cansado.

MARIO: ¿Quieres jugar al ajedrez?

PABLO: No, no tengo ganas. Podemos jugar al ajedrez (8) ______________. Ahora voy a dormir.

MARIO: Ay Pablo, ¡Qué aburrido eres!

4 Based on the *Cultura Viva* reading in your book, say whether the following statements are *cierto (C)* o *falso (F)*.

1. C F El país más pequeño de habla hispana es la Argentina.
2. C F Los gauchos viven en grandes estancias de las pampas.
3. C F El baile más famoso de la Argentina es el tango.
4. C F Buenos Aires es la capital de la Argentina.
5. C F Mate es un tipo de carne.
6. C F La Boca es un baile muy popular en la Argentina.
7. C F Carlos gardel es el padre del tango.

Nombre: ______________________ Fecha: ____________

5 **Using the *presente progresivo* and the provided cues, say what these people are doing right now.**

MODELO nosotros/dibujar
Nosotros estamos dibujando.

1. mi padre y mi madre/bailar el tango

____

2. tú/leer el periódico

____

3. Rosa/jugar al fútbol

____

4. Belia y Jaime/llevar la comida a su casa

____

5. yo/hacer mi tarea

____

6. mis hermanos y yo/comer arepas

____

7. el Sr. Botero/dormir

____

8. nosotros/apagar el televisor

____

9. yo/escribir una carta

____

Nombre: ______________________ Fecha: ______________

6 **Tell what the following people are doing right now, using direct object pronouns.**

MODELO tú/comprar el DVD.
Tú estás comprándolo.

1. mi equipo favorito/jugar un partido importante

____

2. Raquel/apagar la luz

____

3. Uds./escribir las cartas

____

4. Mercedes y yo/poner los platos sucios en el lavaplatos

____

5. mis abuelos/alquilar las películas

____

6. tú/leer los libros

____

7. la Sra. Zapata/enseñando la lección

____

8. yo/limpiando mi dormitorio

____

Nombre: ______________________________ Fecha: ________________

Lección B

1 **Complete the sentences selecting appropriate words from the list provided.**

calor	frío	patineta	otoño	llover	flores	PRIMAVERA	verano	invierno

1. La primavera es la estación de las ________________.
2. El __________ es en los meses de diciembre, enero y febrero.
3. En la primavera puede ____________ mucho.
4. El ________________ es en los meses de septiembre, octubre y noviembre.
5. Mi hermano va al parque para montar su ____________.
6. Llevas un traje de baño y vas a la playa cuando hace ____________.
7. La ______________ es en los meses de marzo, abril y mayo.
8. En el invierno hace mucho ____________.
9. El ______________ es en los meses de junio, julio y agosto.

2 **Fill in the blanks with the correct form of the verbs in parenthesis.**

1. Nosotros __________________ (continuar) nadando en la playa de Viña del Mar.
2. ¿__________________ (enviar) cartas Alberto y Arturo a sus familias?
3. Marta y David __________________ (copiar) el número de teléfono.
4. Yo __________________ (esquiar) en Colorado todos los inviernos.
5. El Sr. Botero __________________ (copiar) canciones de la internet.
6. Tú __________________ (ver) las flores bonitas en el jardín.
7. Mi abuelo y mi abuela __________________ (caminar) en el parque.
8. ¿__________________ (continuar) patinando sobre hielo Graciela en el verano?
9. Carolina y yo __________________ (enviar) correos electrónicos a nuestra abuela.
10. Uds. __________________ (esquiar) en las montañas.

Nombre: ______________________ Fecha: ______________

3 **Create logical sentences using the cues provided below.**

1. yo / siempre ver las noticias a las seis de la tarde.

   ____

2. yo / dar un paseo en la playa con mi perro

   ____

3. mi hermano / poner la mesa para la cena

   ____

4. yo / poner la patineta en el garaje

   ____

5. yo / nunca salir de la clase temprano

   ____

6. mis padres / dar dinero a mi hermana

   ____

7. ¿quién / dar los papeles a la maestra?

   ____

8. yo / saber todas las respuestas

   ____

9. yo / hacer mi / antes de jugar al fútbol con mis amigos

   ____

4 Label the drawings below using the appropriate words from the list provided.

A. Hace fresco.	C. Llueve.	E. Hay neblina.	G. Nieva.
B. Hace 15 grados.	D. Está soleado.	F. Está nublado.	H. Hace viento.

1. ______________

2. ______________

3. ______________

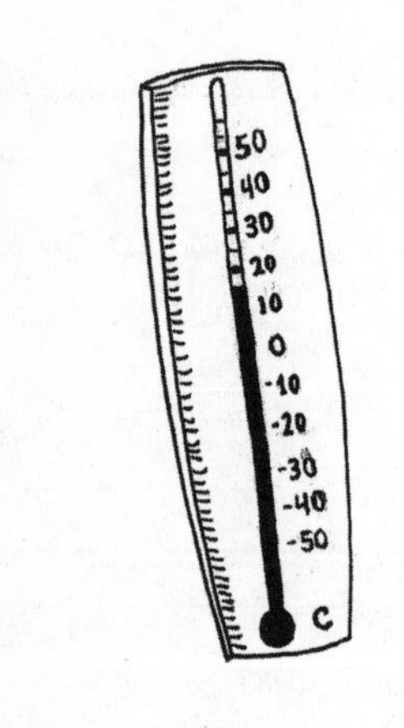

4. ______________

5. ______________

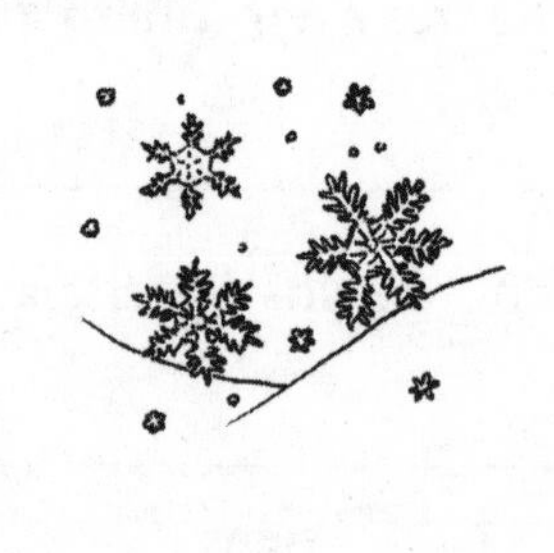

6. ______________

7. ______________

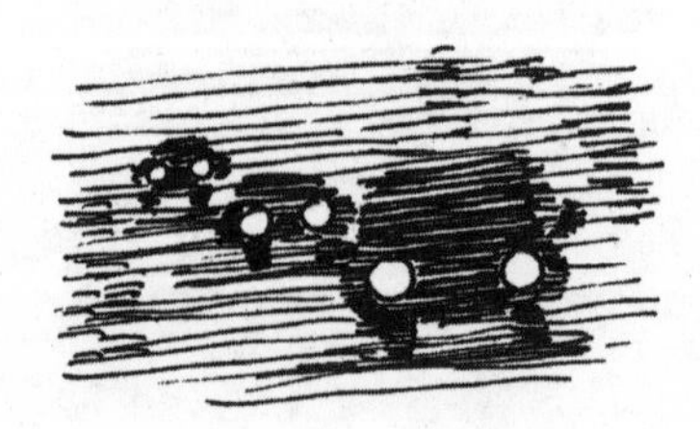

8. ______________

5 Match the following descriptions on the left with the people, places and things that appear on the list to the right.

_____ 1. Una isla con un pasado misterioso

_____ 2. Un poeta famoso

_____ 3. Un libertador de Chile

_____ 4. Donde vivió Robinson Crusoe por cuatro años

_____ 5. El sistema de temperatura que se usa en muchos países fuera de *(outside of)* los Estados Unidos.

A. grados centígrados

B. Bernardo O'Higgins

C. Las Islas de Juan Fernández

D. Isla de Pascua

E. Pablo Neruda

Nombre: ______________________ Fecha: ______________

6 **Describe these people using the following words:** ***basquetbolista, beisbolista, corredor(a), deportista, esquiador(a), futbolista, nadador(a), patinador(a), tenista***

MODELO Mis primas juegan mucho al tenis.
Son tenistas.

1. Tú nadas bien.

   ____

2. Estoy jugando al básquetbol.

   ____

3. Ud. juega al tenis todos los martes.

   ____

4. Graciela y yo estamos patinando sobre hielo.

   ____

5. Yo practico muchos deportes.

   ____

6. Eduardo está listo para jugar al fútbol.

   ____

7. José y Javier esquían en el invierno.

   ____

8. Uds. van al gimnasio para correr.

   ____

9. Marcos y Felipe tienen un partido de béisbol importante.

   ____

Nombre: ______________________________ Fecha: ______________

Capítulo 8

Lección A

1 Identify the chores that are illustrated below.

1. Mi hermano pequeño va a ________________.

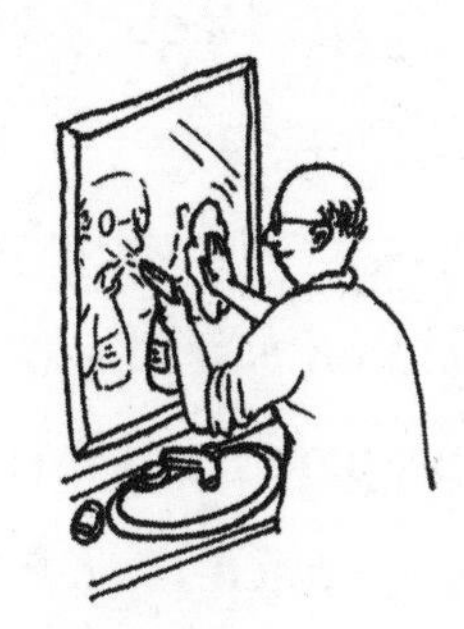

2. Mi abuelo va ________________.

3. Mi hermano Luis va a ________________.

4. Mi hermana Silvia va a ________________.

5. Mi hermana Teresa va a ________________.

6. Mi padre va a ________________.

7. Mi hermano Juan va a ________________.

8. Mi abuela va a ________________.

9. Mi madre va a ________________.

2 **Complete the following sentences by using the following indirect object pronouns: *me, te, le, nos, les.***

1. Mi hermano _____________ dobla la ropa (a mi mama).
2. Mis hermanas _____________ van a hacer la cama (a mí).
3. Yo _____________ limpio el dormitorio (a Esperanza).
4. Tú _____________ cuelgas la ropa (a Raquel).
5. Mi abuelo y yo _____________ preparamos la comida (a ti).
6. Mi abuela _____________ escribe una carta (a nosotros).
7. Mis tíos _____________ trabajan en el jardín (a ellos).
8. Isabel _____________ adorna las paredes (a mis padres).
9. Victoria y Marcos _____________ traen los refrescos (a Luis y a mí).

3 **Complete the sentences selecting the appropriate expressions from the list provided.**

arreglar el cuarto	barrer
dar de comer	lavar las ollas
pasar la aspiradora	recoger la mesa
sacar la basura	traer el pan y la leche

1. Estoy en la cocina lavando los platos. Tengo que ______________________________ también.
2. Mi abuela va al supermercado. Ella va a ______________________________.
3. La alfombra de la sala está muy sucia. Tengo que ______________________________.
4. Hay platos y vasos sucios en la mesa. Mis hermanos y yo tenemos que ______________________________.
5. Mis amigos vienen a mi casa esta noche. Mi mama dice que tengo que ______________________________.
6. El suelo en la cocina está sucio. Tengo que usar la escoba para ______________________________.
7. Yo tengo que ______________________________ al perro antes de salir.
8. Despúes de limpiar la cocina, tenemos que ______________________________.

4 Choose the best answers for the following questions.

1. What did the Greeks and the Phoenicians bring to Spain?
   A. rice B. bananas C. olive trees

2. Where are Spain's most famous cave paintings located?
   A. Altamira B. Cádiz C. Córdoba

3. Who was defeated in Granada and removed from power in 1492?
   A. the Visigoths B. the Moors C. the Celts

4. In Spain, What chores are young boys are often required to do?
   A. vaccuum B. help with cooking C. run errands for their parents

5. Floors in Spanish houses, as a general rule, consist of
   A. marble B. rugs C. wall-to-wall carpeting

6. In Spain, dryers are not commonly found in the homes because
   A. they are expensive B. of high energy costs C. they are not available

5 Complete the sentences with the correct present tense form of the verb in parenthesis.

1. Mis amigos ______________ (oír) a Elena tocar el piano.
2. Mi tío Pepe ______________ (oír) el nuevo CD de Juanes.
3. Tú ______________ (oír) las noticias.
4. Yo estoy ______________ (oír) al perro.
5. La Sra. González y yo ______________ (oír) música clásica en el concierto.
6. Elena y yo ______________ (traer) la mochila a la clase.
7. ¿Quién ______________ (traer) los refrescos?
8. Ellos están ______________ (traer) un equipo de sonido a la fiesta.
9. Roberto ______________ (traer) su guitarra.

Nombre: ______________________________ Fecha: ______________

6 Complete the following paragraph with the correct form of the preterite of the verbs in parenthesis.

Ayer fue mi cumpleaños. Mi familia tuvo una fiesta grande. Primero, mis hermanos y yo (1. limpiar) ______________________ la casa. Juan (2.barrer) ______________________ y yo (3. pasar) ______________________ la aspiradora. Mi mamá (4. cocinar) ______________________. Mis amigos y mi familia (5. llegar) ______________ a las siete. Después, nosotros (6.comer) ______________________ la comida que mi mamá (7. preparar) ______________________. Durante la noche, yo (8. cantar) ______________________ y mis amigos (9. bailar) ______________________. ¡Fue una fiesta fantástica!

Nombre: ______________________________ Fecha: ______________

Lección B

1 Identify the following items in the spaces below. Be sure to use articles.

1. ______________________

2. ______________________

3. ______________________

4. ______________________

5. ______________________

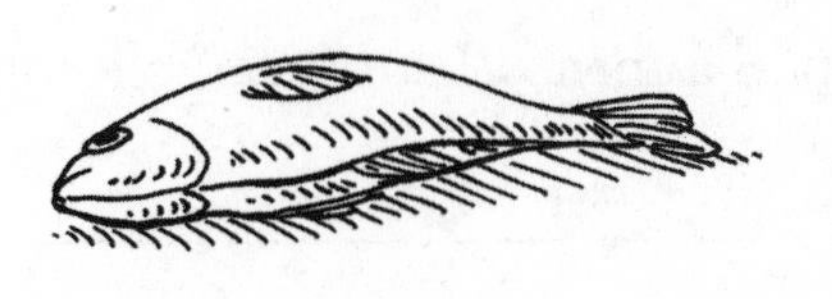

6. ______________________

7. ______________________

8. ______________________

9. ______________________

10. ______________________

2 Rearrange these sentences so that they demonstrate a comparison between items.

MODELO padre/como/mi/cocina/madre/tanto/Mi.
Mi madre cocina tanto como mi padre.

1. come/Pedro/que/Tomás/más

____

2. cebollas/menos/Hay/que/papas

____

3. tan/pescado/El/es/pollo/como/rico/el

____

4. mercado/los/son/del/guisantes/Estos/mejores

____

5. el/paella/menos/La/es/rica/pollo/que

____

6. son/aquellos/aguacates/aguacates/maduros/Estos/menos/que

____

7. pimiento/necesito/Yo/pimiento/como/rojo/verde/tanto

____

8. mejor/ajo/es/cebolla/El/que/la

____

9. grandes/pequeños/más/que/Los/los/ajos/ajos/cuestan

____

10. como/en/tanto/Hay/pescado/verduras/paella/esta

____

Nombre: ______________________ Fecha: ______________

3 **Draw a circle around the item that does not belong to the groups of food below.**

1.	leche	queso	naranja
2.	fresa	huevos	manzana
3.	habichuelas	jamón	chorizo
4.	zanahoria	lechuga	aceite
5.	plátano	café	leche
6.	papa	maíz	uva
7.	vinagre	aceite	zanahoria
8.	carne	pollo	cebolla
9.	manzana	uva	sal
10.	verduras	mantequilla	maíz

4 **Decide whether the following statements are *cierto (C)* or *falso* (F). Circle your response.**

1. C F Se necesitan naranjas para preparar una paella.
2. C F Se usa aceite de oliva en una paella.
3. C F La paella tiene muchas verduras.
4. C F La paella valenciana no tiene mariscos.
5. C F Los chorizos y las morcillas son tipos de carne.
6. C F La paella viene de Valencia.
7. C F Madrid es famosa por su paella.
8. C F El pulpo a la gallega viene de La Mancha.
9. C F El gazpacho es un tipo de queso.
10. C F La salsa diabla viene de Cataluña.

5 Fill in the blank with the correct preterite form of the verb in parenthesis.

1. Yo __________________ (estar) en el mercado esta mañana.
2. Los chicos __________________ (estar) en la casa de su abuela el sábado pasado.
3. Nosotros __________________ (estar) en el supermercado ayer.
4. Tú __________________ (estar) en el restaurante la semana pasada.
5. Mi abuelo __________________ (estar) en el café ayer.
6. Lola __________________ (dar) zanahorias y tomates.
7. Mis amigos y yo __________________ (dar) una bolsa de arroz.
8. Daniel __________________ (dar) unas latas de verduras.
9. Uds. __________________ (dar) dos pollos.
10. Mi familia y yo __________________ (dar) cuatro kilos de papas.

Nombre: ______________________________ Fecha: ____________

Capítulo 9

Lección A

1 Choose the clothing item from the list below that best fits the description given.

1. las botas
2. la corbata
3. las medias
4. el pijama
5. la ropa interior
6. el traje
7. el traje de baño
8. el vestido
9. los zapatos

1. lo que llevas en los pies durante el invierno ______________________
2. lo que lleva una mujer a una fiesta elegante ______________________
3. lo que llevas cuando vas a dormir ______________________
4. lo que llevas en tus pies todos los días ______________________
5. lo que llevas a la piscina o a la playa ______________________
6. lo que lleva un hombre cuando va a una cena elegante ______________________
7. lo que se pone una mujer en las piernas cuando lleva un vestido y zapatos de tacón ______________________
8. lo que llevas debajo de tu ropa ______________________
9. lo que llevan los hombres a las reuniones de negocios ______________________

2 Complete the sentences with the definite article.

1. ¿Quiere comprar Francisco la camisa azul o ___ blanca?
2. ___ verde es su color favorito.
3. El color favorito de Paco es ____ azul.
4. Me gustaría comprar ____ vestido negro.
5. A nosotros nos gustan los pantalones azules, no _____ grises.
6. A Carlos le gusta ____ color rojo.
7. Compré el pantalón amarillo, no _____ anaranjado.

3 **Convert the underlined verbs in the paragraph below from the present tense to the past tense.**

¿Qué hiciste ayer? Primero, yo (1) como un desayuno grande. Por la mañana (2) prefiero comer pan tostado y jugo de naranja. Después de desayunar, (3) salgo para la escuela. Mis amigos y yo caminamos juntos. Llegamos a la escuela a las ocho menos cuarto.(4) Abro mi pupitre y (5) saco mi libro de literatura. La clase (6) aprende mucho de la Sra. Blanca. Todos (7) escribimos mucho en la clase. Después de ir a todas mis clases, mis amigos y yo (8) corremos a casa de Raúl. Jugamos a los videojuegos y miramos la televisión. Regresé a casa para la cena. Después de hacer mi tarea (9) duermo durante ocho horas.

1. ____________
2. ____________
3. ____________
4. ____________
5. ____________
6. ____________
7. ____________
8. ____________
9. ____________

Nombre: ______________________ Fecha: ______________

4 **Complete the sentences with the appropriate words or expressions from the box below.**

chaquetas	impermeable	abrigo de lana
sombrero	pantalón	suéter

SERGIO: ¿Qué vas a llevar a la cabaña este fin de semana?

MARCOS: Voy a llevar un (1) ______________ y una camisa.

SERGIO: Yo voy a llevar un (2) ______________ porque hace frío hoy.

MARCOS: Buena idea. ¿Va a nevar hoy? ¿Debo llevar mi (3) ______________?

SERGIO: No, ¡es primavera! Creo que va a llover hoy. Debes llevar tu (4) ______________.

MARCOS: Tenemos que traer nuestras (5) ______________ también. Si no llueve, pero hace frío, me gustaría traerla.

SERGIO: Debes traer un sombrero también. ¿Te gusta este (6) ______________ rojo?

MARCOS: No, prefiero el azul.

SERGIO: Me gusta el azul también. ¿Estamos listos?

MARCOS: Sí. ¡Vámonos!

5 **Using the list of words below, complete the following sentences.**

el archipiélago
el Canal de Panamá
la Ciudad de Panamá
la selva
pollera

1. ______________ es la capital de Panamá.
2. ______________ divide el país en dos partes.
3. La ______________ es el traje típico de Panamá.
4. Hay descendientes de los kuna y los chocó que viven hoy en ______________ de San Blas.
5. La mayoría de la tierra del país consiste en montañas y ______________.

6 **Fill in the blanks with the correct preterite forms of the verbs *ir* and *ser*.**

1. Mis hermanos ______________________ (ir) al centro ayer.
2. Nosotros no ______________________ (ir) a la fiesta anoche.
3. Yo ______________________ (ir) al teatro con mi abuela el domingo.
4. ¿Cuál ______________________ (ser) la fecha de ayer?
5. Las películas ______________________ (ser) fantásticas.
6. Tú ______________________ (ser) la mejor basquetbolista del partido.

7 **Make the pair of sentences that appear below opposite from each other. Fill in the blanks in the following sentences with the words from the list below.**

algunas	algo	nunca	también
ningún	tampoco	ni... ni	alguien

1. Las muchachas *siempre* llevan los zapatos de tacón.
   Las muchachas ______________ llevan los zapatos de tacón.
2. No hay *nadie* en casa.
   Hay ______________ en casa.
3. Juan no quiere comprar *nada*.
   Juan quiere comprar ______________.
4. Mi madre va a la tienda *también*.
   Mi madre no va a la tienda ______________.
5. No encontré *ninguna* camisa bonita en la tienda.
   Encontré ______________ camisas bonitas en la tienda.
6. ¿Te gusta la chaqueta roja *o* la chaqueta rosada?
   ¿No te gustan ________ la chaqueta roja ________ la chaqueta rosada?
7. Yo compré *algún* disco compacto nuevo.
   Yo no compré ______________ disco compacto nuevo.
8. Tú *tampoco* estás buscando un vestido nuevo.
   Tú ______________ estás buscando un vestido nuevo.

Nombre: ______________________________ Fecha: ________________

Lección B

1 Identify the following clothing items in the spaces below. Be sure to use articles.

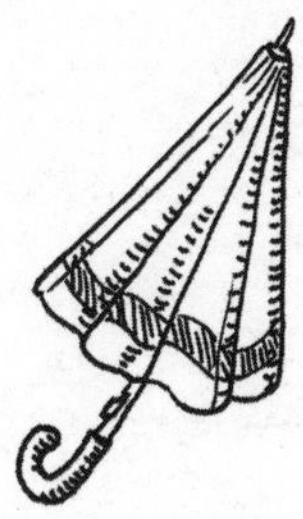

1. ____________________

2. ____________________

3. ____________________

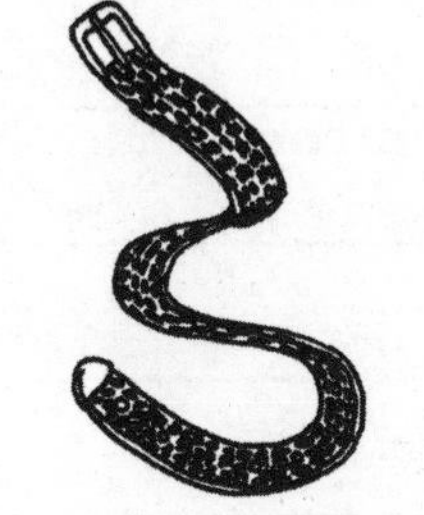

4. ____________________

5. ____________________

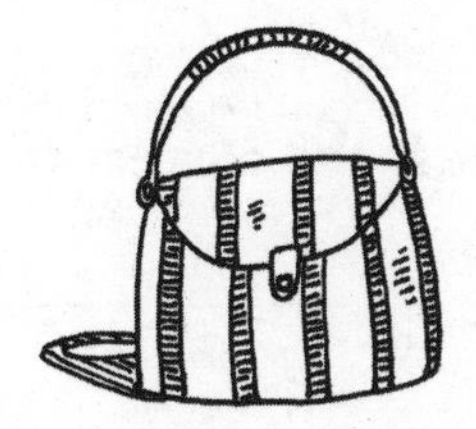

6. ____________________

7. ____________________

8. ____________________

9. ____________________

10. ____________________

Nombre: ______________________________ Fecha: ________________

2 Indicate the original word based on the diminutives given.

MODELO la bufandita → la bufanda

1. las joyitas ______________________________
2. poquito ______________________________
3. el trajecillo ______________________________
4. la billeterita ______________________________
5. el cinturoncito ______________________________
6. el zapatico ______________________________
7. la abuelita ______________________________
8. el collarcito ______________________________
9. la chaquetilla ______________________________

3 Fill in the blanks with the correct form of the verbs in parenthesis.

1. Los alumnos ____________________ (leer) muchos libros este año.
2. Mis padres me ____________________ (dar) unos aretes de plata para mi cumpleaños.
3. Mis amigos y yo ____________________ (ver) la nueva película de Salma Hayek.
4. ¿Qué ____________________ (decir) tú?
5. Yo ____________________ (hacer) mi tarea después de las clases.
6. Felipe ____________________ (tener) tres exámenes ayer.
7. Mónica y Adriana no ____________________ (oír) el anuncio.
8. Yo ____________________ (leer) la revista.
9. Los alumnos nunca ____________________ (decir) mentiras.
10. Mi padre ____________________ (ver) unos paraguas baratos en la tienda.

Nombre: ______________________________ Fecha: ______________

4 Complete the dialog using words from the list below.

ahorrar	cambio	en oferta	tamaño
caja	efectivo	recibo	tarjeta de crédito

MARGARITA: Necesito una camisa de un (1)__________________ grande.

PEDRO: ¿Cuánto cuesta esta camisa negra?

MARGARITA: Cuesta cincuenta dólares.

PEDRO: Es cara. ¿Está esta camisa blanca (2)__________________?

DEPENDIENTA: Sí, cuesta dieciocho dólares. Puede (3)__________________dos dólares.

MARGARITA: Perfecto, la voy a llevar. Ven conmigo, por favor, a la (4) __________________.

PEDRO: ¿Prefieres pagar con (5) __________________ o en (6) __________________?

MARGARITA: Prefiero pagar en efectivo.

DEPENDIENTA: Aquí tiene dos dólares de (7) __________________ y su (8) __________________.

MARGARITA: Gracias.

PEDRO: Gracias. Adiós.

5 Decide whether the following statements are *cierto* (C) or *falso* (F).

1. C F La capital de Ecuador es Quito.
2. C F Al Archipiélago de Colón se le llama también las Islas Galápagos.
3. C F Hay muchos animales y plantas comunes en las Islas Galápagos.
4. C F Atahualpa fue una ciudad importante de los Incas.
5. C F Ecuador formó parte del imperio maya.

6 Margarita is talking to Julia. Replace the underlined sections of the following sentences with pronouns and prepositional pronouns.

MODELO Julia nos compra un regalo.
Julia compra un regalo para nosotros.

1. Yo quiero ir a la playa con Luisa.
   Yo quiero ir a la playa ______________________.
2. Nosotros tenemos muchos regalos para tí, Marta y Felipe
   Nosotros tenemos muchos regalos ______________________.
3. Tú y yo necesitamos ir a la fiesta.
   Tú necesitas ir a la fiesta ______________________.
4. Mi mamá me va a comprar un collar nuevo.
   Mi mamá va a comprar un collar nuevo ______________________.
5. Ellos no quieren ir a la fiesta sin Julia y yo.
   Ellos no quieren ir a la fiesta ______________________.
6. Tú necesitas traer un pastel para Luisa.
   Tú necesitas traer un pastel ______________________.
7. Cuando termine la fiesta, no quiero salir sin tí.
   Cuando termine la fiesta, quiero salir ______________________.
8. Voy a hablar mucho con José.
   Voy a hablar mucho ______________________.

Nombre: ________________________________ Fecha: ________________

Capítulo 10

Lección A

1 Complete the sentences using the present tense of the verbs in parenthesis.

1. Mis amigos y yo ____________________ (estudiar) mucho.
2. Mi abuelo ____________________ (vivir) en Puerto Rico.
3. Los jóvenes ____________________ (comer) paella valenciana.
4. Francisco y Ud. ____________________ (pedir) dinero a sus padres.
5. Mis padres ____________________ (poder) bailar el tango.
6. Nosotros ____________________ (querer) unos DVDs nuevos.
7. El partido ____________________ (empezar) a las siete.
8. ¿ ____________________ (jugar) tú al fútbol todos los días?
9. Yo ____________________ (hacer) mi tarea antes de jugar a los videojuegos.
10. Yo ____________________ (ir) al supermercado los sábados.
11. Mi papá y yo ____________________ (esquiar) en el invierno.

2 Complete the first sentence by providing a question word that makes sense according to the statement in the second sentence.

1. ¿____________________ estás tú? Yo estoy *bien*, gracias. ¿Y tú?
2. ¿____________________ vas al gimnasio? Yo voy al gimnasio *los domingos*.
3. ¿____________________ está contenta ella? Está contenta *porque hoy es su cumpleaños y su familia va a tener una fiesta*.
4. ¿____________________ vive ella? Ella vive *en Guatemala*.
5. ¿____________________ hora empieza la película? La película empieza *a las cinco y media*.
6. ¿____________________ baila bien? *Mi amigo Juan* baila bien.
7. ¿____________________ lleva Luisa hoy? Luisa lleva *una falda azul y una camisa blanca*.
8. ¿____________________ cuesta la mochila verde? La mochila verde cuesta *treinta dólares*.
9. ¿____________________ son Uds.? Nosotros somos *de Lima, Perú*.
10. ¿____________________ está la *calle Valencia?*

3 Complete the dialog using the appropriate words from the list below.

me	le	nos	gustan
te	les	gusta	gustar

SRA. PÉREZ: ¿Quieren Uds. comer en el restaurante *La Canasta* esta noche?

TATIANA: No (1)____________________ gusta este restaurante.

JULIO: A mí tampoco. No me (2)____________________ mucho el pollo que sirven.

SRA. PÉREZ: ¿Por qué no (3) ____________________ gusta el pollo, Julio?

JULIO: El pollo no está rico. A papá no (4) ____________________ gusta el pollo ni otras comidas en *La Canasta*.

SRA. PÉREZ: A tu papá, ¿no le (5)____________________ las ensaladas que sirven?

TATIANA: Creo que no.

SRA. PÉREZ: ¿Prefieren Uds. comer en el restaurante *El Mexicano*?

TATIANA Y JULIO: ¡No, la comida es horrible!

SRA. PÉREZ: Pues, a Uds. ¿qué restaurante (6)____________________ gusta? ¡Yo tengo hambre!

JULIO: A nosotros, siempre (7)____________________ gusta lo que tú nos preparas, mamá. ¿Puedes tú preparar la cena esta noche?

SRA. PÉREZ: Por supuesto, pero Uds. tienen que ayudarme.

JULIO: A nosotros nos va a (8)____________________ mucho la cena esta noche. ¡Gracias, mamá!

Nombre: ______________________________ Fecha: ______________

4 **Circle the word that does not belong.**

1.	muchas gracias	de nada	con permiso	noche
2.	dentista	mochila	lápiz	bolígrafo
3.	chica	muchacha	mujer	hombre
4.	biología	geografía	nuevo	matemáticas
5.	pollo	refresco	bebida	jugo
6.	biblioteca	cine	camiseta	escuela
7.	apurado	camión	barco	avión
8.	enfermo	cansado	triste	pescado
9.	cuarto	correr	nadar	jugar al tenis
10.	primavera	verano	otoño	semana
11.	mamá	papá	mañana	hermano
12.	casa	caballo	cuarto	cocina
13.	médico	dentista	enfermero	planta
14.	cansado	contenta	verde	apurada

5 **Answer the following questions about Peru.**

1. La capital del Perú es ______________________________.
2. Los indios ______________________________ son de Perú.
3. Perú está en el Océano ______________________________.
4. Los conquistadores vinieron de España en busca del ______________________________ y la ______________________________ de Perú.
5. Una de las universidades más viejas del mundo se llama la Universidad de ______________________________.
6. Las montañas ______________________________ están en Perú y otros países de América del Sur.
7. ______________________________ fue la capital secreta del imperio inca en el siglo XV.

Nombre: ______________________ Fecha: ____________

Lección B

1 Complete the paragraph by filling in the blanks with the correct preterite tense verb forms.

El sábado pasado (1) ______________________ (ser) muy divertido. Mi familia (2) ______________________ (viajar) a la playa para pasar el día. Yo (3) ______________________ (nadar) en el mar. Mi hermana Raquel (4) ______________________ (jugar) al voleibol con mi hermano Ricardo. Mi mamá (5) ______________________ (leer) un libro. Después, nosotros (6) ______________________ (caminar) a un restaurante. Yo (7) ______________________ (pedir) pescado. ¡ Me encanta el pescado fresco! Todos (8) ______________________ (comer) mucho. Después de comer, mi familia (9) ______________________ (volver) a casa. Yo (10) ______________________ (dormir) en el coche. ¡(11) ______________________ (ser) un día maravilloso!

Nombre: ____________________ Fecha: ____________

2 Create sentences using the cues provided

MODELO Pedro y Roberto/ser/amigo/bueno
Pedro y Roberto son buenos amigos.

1. los tomates/estar/fresco

____

2. ellas/llevar/unas faldas/verde y corto

____

3. yo/necesitar/unos libros/bueno

____

4. el artista/ser/inteligente

____

5. la clase de español/ser/divertido

____

6. mi madre/estar/enfermo.

____

7. los chicos de España/ser/guapo

____

8. Luis/comprar/la bicicleta/azul

____

9. mis amigas/ser/cómico y simpático

____

10. la comida mexicana/ser/estupenda

____

11. yo/leer/todos los días

____

12. el jardín/tener/muchas flores

____

3 **Fill in the blanks in the second sentence by replacing the underlined words with direct or indirect object pronouns as indicated.**

MODELO Ella lavó los platos. Ella los lavó.

1. Nosotros compramos los vestidos ayer. Nosotros ______ compramos ayer.
2. Tus amigos no beben el jugo. Tus amigos no ______ beben.
3. La maestra enseña a los alumnos. La maestra ______ enseña.
4. Tú quieres el barco grande. Tú ______ quieres.
5. Andrea prepara el almuerzo a su hermana. Andrea ______ prepara el almuerzo.
6. Ella escucha la radio. Ella ______ escucha.
7. Mi abuela escribe muchas cartas. Mi abuela ______ escribe.
8. Mi hermana pide mucho dinero a mis padres. Mi hermana ______ pide mucho dinero.
9. Nosotros hacemos la tarea todos los días. Nosotros ______ hacemos todos los días.
10. Él pasea al perro por las mañanas. Él ______ pasea por las mañanas.

4 **Circle the word that does not logically belong in the group.**

1.	disco compacto	casete	ventana	grabadora
2.	ayer	mañana	mayor	hoy
3.	jardín	estufa	fregadero	lavaplatos
4.	este	especial	ese	aquel
5.	piscina	garaje	comedor	pulsera
6.	comer	cartas	ajedrez	videojuegos
7.	segundo	corbata	hora	minuto
8.	primavera	otoño	invierno	miércoles
9.	lechuga	cebolla	uva	pimiento
10.	fresas	manzanas	uvas	lata
11.	taza	vaso	carro	plato
12.	avión	mesa	carro	bicicleta

Nombre: ____________________ Fecha: ____________

5 **Choose the best answer for the following questions.**

1. ¿Cómo se llama un idioma maya?

   A. guatemalteco B. quiché C. huehuetenango

2. ¿Cómo se llama la ciudad más famosa del imperio maya?

   A. Tikal B. Ciudad de Guatemala C. Chichicastenango

3. ¿De qué país recibió Guatemala su independencia en 1821?

   A. Estados Unidos B. Portugal C. España

4. ¿Cuántas personas viven en Guatemala hoy?

   A. 900.000 B. 14 millones C. 92 millones

5. ¿Qué estudiaron los mayas?

   A. historia B. matemáticas C. biología

Answer Key

Capítulo 1

Lección A

1 Complete the dialog selecting appropriate words from the word list provided. (9 points)

1. Hola 2. llamas 3. Y tú 4. Mucho 5. gusto 6. escribe 7. mayúscula 8. Adiós 9. Hasta

2 Unscramble the following Names of Spanish-Speaking countries. (10 points)

1. Venezuela 2. Perú 3. Honduras 4. Bolivia 5. Uruguay 6. México 7. España 8. Chile 9. Panamá 10. Colombia

3 Make complete sentences using the following cues. (5 points)

1. ¡Hola!
2. ¿Cómo te llamas?
3. Me llamo Héctor. ¿Y tú?
4. Se escribe con hache mayúscula, e con acento, ce, te, o, ere.
5. ¡Adiós!

4 Complete the logical numerical sequence in Spanish. (6 points)

1. dos, ocho
2. tres, siete
3. diez, veinte
4. diez, catorce, dieciocho
5. doce, dieciocho
6. diecisiete, diecinueve

5 Using the map, identify and write the names of eight Spanish-speaking countries. (8 points)

Answers will vary.

6 Put a circle around the letter that best completes the following sentences. (7 points)

1. A 2. A 3. B 4. A 5. B 6. B

7 Write down the appropriate definite articles for the following countries. (5 points)

1. la 2. los 3. el 4. el 5. la 6. el

Lección B

1 Fill in each blank with the most appropriate word. (11 points)

1. estás 2. muy 3. tal 4. Bien/Mal 5. bien/mal 6. Cómo 7. gracias
8. está 9. pronto/luego 10. qué 11. mal

2 How would you address these people? Choose either *tú, Ud., Uds., vosotras or vosotros.* (8 points)

1. Uds. 2. tú 3. tú 4. Ud. 5. Uds. 6. vosotras 7. vosotros 8. Ud.

3 Fill in the blank with the number that completes the sequence. Write out the number in Spanish. (10 points)

1. cuarenta 2. noventa y cinco 3. veintiocho 4. setenta y siete 5. treinta y seis
6. cien 7. cuarenta y nueve 8. ochenta y uno 9. sesenta y cuatro 10. ochenta

4 Indicate which of these expressions you would use in the following situations. (9 points)

1. De nada. 2. Muchas gracias. 3. Lo siento. 4. No, gracias. 5. Perdón.
6. Perdón, ¿Qué hora es? 7. Con permiso. 8. Tres, por favor. 9. Con mucho gusto.

5 Tell the time in Spanish. (12 points)

1. Son las cuatro y veinte.
2. Son las ocho menos cuarto./Son las Siete cuarenta y cinco.
3. Son las doce./Es mediodía./Es medianoche.
4. Son las dos y media/Son las dos treinta.
5. Son las once menos veinte./Son las diez cuarenta.
6. Son las tres y media/son las tres treinta.
7. Son las nueve y cuarto.
8. Es la una y diez.
9. Es la una y veinticinco.
10. Son las doce menos diez.?Son las once cincuenta.
11. Son las seis y veintitrés.
12. Son las cinco y dieciocho.

Capítulo 2

Lección A

1 Answer the following questions using the information in parenthesis as a cue. (7 points)

1. Él es de San Francisco. 2. Él se llama Alfredo. 3. Él es Rafael.
4. Ellos son de Los Angeles. 5. Ella es Sofía. 6. Ella es de Bogotá.
7. Ella se llama Adriana.

2 Complete the sentences logically with the correct form of ser. (8 points)

1. es 2. soy 3. eres 4. son 5. somos 6. es 7. son 8. es

3 Identify the following objects in Spanish. Be sure to use the correct article. (9 points)

1. la tiza 2. el mapa 3. el cuaderno 4. la silla 5. el sacapuntas
6. el pupitre 7. el libro 8. la puerta 9. la mochila

4 Match the following places on the map with their English equivalents. (7 points)

1. E 2. A 3. C 4. D 5. G 6. B 7. F

5 Fill in each blank with the correct definite article. (5 points)

1. la 2. el 3. la 4. la 5. el

6 Write the plural form of the following nouns. (5 points)

1. los libros 2. las chicas 3. los borradores 4. los lápices 5. los papeles

7 Complete the paragraph with *un, una, unos* or *unas* to indicate what there is in the classroom. (9 points)

1. un 2. unos 3. unas 4. un 5. un 6. una 7. un 8. unos 9. unos

Lección B

1 Imagine you are a new student at San Mateo High School in Mexico. Your key pal is asking you about your school day. Look at the schedule below and answer the questions with complete sentences in Spanish. (8 points)

1. La clase de historia es a las ocho y media./...ocho y treinta.
2. La clase de inglés es a las nueve y media./...nueve y treinta.
3. La clase de español termina a las dos.
4. La clase de historia termina a las nueve y media.
5. La clase de música es a las dos.
6. No. No hay clases a las once y media.
7. Tengo clases de música los lunes, los miércoles y los viernes.
8. Tengo clases de arte los martes y los jueves.

2 Correct these descriptions by replacing the underlined words with the words in parentheses. Remember to make all the nouns and adjectives agree and to change the verb forms when necessary. (7 points)

1. La falda es roja.
2. La silla es negra.
3. Yo llevo una camiseta nueva.
4. Hay un cuaderno gris.
5. Tengo dos libros azules.
6. Marta lleva unos calcetines amarillos.
7. Hay una profesora buena.

3 Tell what happens in a typical day, using the indicated verbs. (10 points)

1. hablamos 2. termina 3. llevamos 4. estudias 5. termina 6. necesitan
7. llevan 8. hablo 9. necesitan 10. estudia

4 Write the names of the following items in Spanish: (7 points)

1. el teléfono celular 2. la impresora 3. los diskettes 4. los discos compactos
5. la pantalla 6. el teclado 7. el ratón

5 Decide whether the following statement about schools in Spanish-speaking parts of the world are *cierto* (C) or *falso* (F). (8 points)

1. C 2. F 3. C 4. F 5. C 6. C 7. F 8. F

6 Complete the following sentences with the correct forms of *estar*. (10 points)

1. estoy 2. están 3. estás 4. está 5. estamos 6. están 7. estamos
8. está 9. está 10. está

Capítulo 3

Lección A

1 Complete the following conversation with words from the list. (8 points)

1. presento 2. gusto 3. Encantada 4. parque 5. quiero
6. biblioteca 7. autobús 8. Vamos

2 Complete the following sentences with the words from the list. (7 points)

1. te, a 2. les, la 3. le, a 4. te 5. les, al, de 6. les, al 7. le

3 Complete the questions on the left with the words from the box below. (7 points)

1. Dónde 2. Cómo 3. Cuántos 4. Qué 5. Por qué
6. Quién 7. Cuándo

4 Change the following sentences to questions. (7 points)

1. ¿Van ellos al banco?
2. ¿Estudian mis amigos arte en el museo?
3. ¿Toman Gabriel y Gertrudis el metro al cine?
4. ¿Estamos nosotros en Tenochtitlán?
5. ¿Es la amiga de Emilia simpática?
6. ¿Hablan Uds. español?
7. ¿Caminas tú a la escuela?

5 Write in Spanish the names of the following modes of transportation. (8 points)

1. en bicicleta 2. en carro 3. en avión 4. en barco 5. en autobús 6. en metro
7. en taxi 8. a pie

6 Choose the best answer for the following questions. (6 points)

1. A 2. D 3. C 4. C 5. A 6. D

7 Complete the following sentences with the appropriate form of *ir*. (7 points)

1. voy 2. vamos 3. vas 4. van 5. van 6. van 7. va

Lección B

1 **Complete the sentence with an appropriate place in the city. (9 points)**

Possible answers:

1. calle, ciudad 2. restaurante 3. teatro 4. plaza, ciudad 5. centro, edificio
6. museo 7. tienda, ciudad 8. ciudad 9. edificio, centro

2 **Change the sentences to express what the following people are going to do. (11 points)**

1. Uds. van a visitar el edificio.
2. Tú vas a comer en el restaurante La Canasta.
3. Luis y yo vamos a hablar con los amigos de Catalina.
4. Manuel y José van a caminar en el parque.
5. Nico y Paco van a estar en clase.
6. Felipe y Juana van a hacer la tarea.
7. El Sr. Vargas y la Sra. Obregón van a ir al concierto.
8. Yo voy a estudiar para el examen.
9. Claudia va a terminar el proyecto.
10. Ud. va a llevar calcetines.
11. Nosotros vamos a ir al retaurante.

3 **Ramón and Ana are in the Restaurant Boca Chica. Complete their conversation with the words from the list. (10 points)**

1. leer 2. mesero 3. pregunta 4. comer 5. pollo 6. ensalada 7. tomar
8. naranja 9. agua 10. Cómo no

4 **Express the following in Spanish using the list to the right. (10 points)**

1. I 2. G 3. A 4. H 5. J 6. D 7. F 8. E 9. C 10. B

5 **Complete the dialog by filling in the blanks with the correct forms of the verbs indicated. (10 points)**

1. Comen 2. come, como 3. Comprenden 4. comprenden 5. Ves 6. veo
7. Leen 8. leemos 9. Sabe 10. sé

Capítulo 4

Lección A

1 Identify the following family members in Spanish. (10 points)

1. hijo/hija 2. esposa 3. abuelo 4. nieto/nieta 5. hermana 6. tío
7. padre/tío 8. prima 9. sobrinos 10. hijo único/hija única

2 Complete the sentences with the correct form of the possessive adjective based on the subject in parenthesis. (8 points)

1. mi 2. nuestro 3. tus 4. su 5. su 6. sus 7. sus 8. tu

3 Create sentences using the following elements and the verb vivir to tell where the following people live. (8 points)

1. Tú vives en Buenos Aires.
2. Yo vivo en Ponce.
3. Nosotros vivimos en San Juan.
4. Mis abuelos viven en Caracas.
5. Juan y tú viven en Santiago.
6. Mario vive en Puerto Plata.
7. María y Alejandra viven en Santo Domingo.
8. Uds. viven en una casa grande.

4 Choose the expression from the box that fits the situation described below. (9 points)
Possible answers:

1. triste 2. frío 3. abierta 4. libre 5. nerviosa 6. sucia 7. cansado
8. apurado/a 9. contenta

5 Identify the following statements as *cierto* (C) or *falso* (F). (8 points)

1. F 2. C 3. C 4. F 5. F 6. C 7. C 8. F

6 Rewrite these sentences by replacing the underlined word with the word in parenthesis. Make appropriate changes. (7 points)

1. Mis hermanos están enfermos.
2. La puerta está cerrada.
3. Los refrescos están calientes.
4. La playa está sucia.
5. Mis profesores están locos.
6. Nosotros estamos ocupados.
7. Yo estoy triste.

Lección B

1 Identify the following activities in Spanish. (10 points)

1. nadar
2. jugar al tenis
3. tocar el piano
4. ver (la) televisión
5. cantar
6. hacer la tarea
7. oír (la) radio
8. ir de compras, comprar
9. jugar al béisbol
10. mirar fotos

2 Create sentences to say what the following people like or like to do. (9 points)

1. Te gusta leer mucho.
2. Nos gusta el correo electrónico.
3. Les gusta la clase de historia.
4. Le gusta ir de compras.
5. Le gustan las computadoras.
6. Les gusta mirar fotos.
7. Les gusta hacer la tarea.
8. Me gustan los libros.
9. Nos gusta patinar sobre ruedas.

3 Beatriz and her friends love sports. Using the cues given below, create sentences about what Beatriz and her friends like. (8 points)

1. A nosotros nos gusta patinar sobre ruedas.
2. A mí me gusta ir a los partidos de fútbol.
3. A ellas les gusta la playa.
4. A ellos les gusta bailar.
5. A Pancho le gusta caminar en el parque.
6. A ti te gusta ver partidos de basquétbol en la televisión.
7. A nosotros nos gusta nadar.
8. A ellos les gustan los partidos de básquetbol.

4 Fill in the blanks with the opposite of the underlined adjectives. (9 points)

1. tonto 2. divertida 3. rápido 4. generoso 5. baja 6. gordo 7. rubio
8. feo 9. inteligente

5 Complete the following sentences with information about the Dominican Republic. (5 points)

1. Santo Domingo 2. Hispaniola, Haiti 3. baseball 4. merengue
5. Juan Luis Guerra

6 Use the correct form of *ser* or *estar* to complete the following sentences. (9 points)

1. soy 2. estamos 3. está 4. estás 5. es 6. están 7. eres 8. somos
9. estoy

Capítulo 5

Lección A

1 Identify the following items that Paco is going to find in an electronics store. (6 points)

1. artículos electrónicos
2. reproductor de DVDs
3. reproductor de CDs
4. quemador de CDs
5. disco compacto
6. grabadora

2 Lupe and Ana are going to the electronics store. Complete their conversation using the correct forms of the verb *tener*. (9 points)

1. Tiene 2. Tiene 3. tenemos 4. tenemos 5. tienes 6. tengo 7. tiene 8. tiene 9. tenemos

3 Using *qué* and an adjective, tell how you feel in the following circumstances. (7 points) (Answers may vary.)

1. ¡Qué alta!
2. ¡Qué lástima!
3. ¡Qué caliente!
4. ¡Qué fantástico!
5. ¡Qué triste!
6. ¡Qué frío!
7. ¡Qué generoso!

4 Unscramble the following days of the week. (7 points)

1. lunes 2. sábado 3. viernes 4. jueves 5. martes 6. domingo 7. miércoles

5 Choose the correct answer to complete the following statements.(9 points)

1. B 2. A 3. C 4. A 5. B 6. A 7. A 8. C 9. B

6 Complete the following sentences with the *a personal* where necessary. (6 points)

1. lo 2. la 3. los 4. los 5. te 6. las

7 Express what you see in the classroom using *me, te, lo, la, los or las.* (6 points)

Sentences 1, 3 and 4 require the a personal.

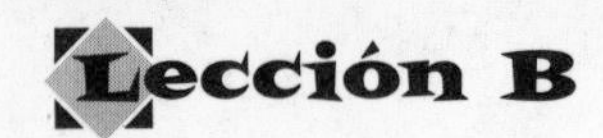

Lección B

1 Answer the following questions in complete Spanish sentences using the calendar below. (7 points)

1. Mañana es jueves.
2. Ayer fue martes.
3. Anteayer fue lunes.
4. Pasado mañana es domingo.
5. Mañana es domingo.
6. La Navidad es el 25 de diciembre.
7. Mi cumpleaños fue jueves el 28 de diciembre.

2 Complete the dialog by filling in the correct forms of *venir*. (9 points)

1. Vienes 2. viene 3. Vienen 4. Viene 5. viene 6. Vienen 7. vienen
8. vengo 9. venir

3 Everyone in María's family is looking forward to their birthdays. Based on the information below, state when each person celebrates a birthday. (9 points)

1. el nueve de agosto
2. el treinta de enero
3. el trece de noviembre
4. el catorce de abril
5. el veinticinco de febrero
6. el siete de junio
7. el diecisiete de septiembre
8. el primero de enero
9. el veintiuno de marzo

4 Determine whether the following statements are *cierto* (C) or *falso* (F). (9 points)

1. F 2. C 3. F 4. C 5. C 6. F 7. F 8. C 9. F

5 Gigante, a local store, is taking inventory of their electronic merchandise. Write down the quantity of each item the store currently has. (9 points)

1. Tienen quinientos sesenta y siete quipos de sonido.
2. Tienen tres mil cuatrocientos setenta y nueve casetes.
3. Tienen mil ciento una grabadoras.
4. Tienen veintinueve mil ochocientos sesenta y cinco discos compactos.
5. Tienen setecientos cuarenta quemadores de CDs.
6. Tienen doscientos ochenta y seis reproductores de CDs.
7. Tienen cinco mil trescientos sesenta y cinco CDs.
8. Tienen seiscientas noventa computadoras.
9. Tienen ciento cuarenta y nueve reproductores de DVDs.

6 Answer the following questions in complete Spanish sentences using the cues provided. (7 points)

1. F 2. E 3. B 4. C 5. D 6. G 7. A

Capítulo 6

Lección A

1 Identify the following kitchen objects in the spaces below. Be sure to use the corresponding articles. (8 points)

1. el vaso 2. el fregadero 3. el lavaplatos 4. el horno microondas 5. el plato 6. la mesa 7. las servilletas 8. el refrigerador

2 Complete the following sentences with the correct form of *deber* or *tener que* as appropriate.(8 points)
Possible Answers:

1. tengo que 2. debes 3. tienen que 4. debes 5. tiene que 6. Debemos 7. debemos 8. tiene que

3 Create sentences based on the information below. (8 points)

1. Yo pienso poner la mesa a las cinco y media.
2. Ellos quieren hacer una cena especial.
3. Nosotros lo sentimos mucho.
4. ¿Qué piensan Uds.?
5. Nosotros empezamos a preparar el almuerzo a las once.
6. Mis padres prefieren comer en el comedor.
7. ¿Vienes tú a mi fiesta este sábado?
8. ¿Prefiere ella lavar los platos o usar el lavaplatos?

4 Draw a circle around the item that does not belong to the groups of kitchen items below. (10 points)

1. el zapato 2. el casete 3. el televisor 4. el libro 5. el cuaderno 6. el pollo 7. la taza 8. la matequilla 9. la lámpara 10. el pescado

5 Choose the best answer to complete the following statements about Venezuela. (8 points)

1. B 2. A 3. C 4. A 5. C 6. B 7. B 8. C

6 Complete the dialog between Gabriel and his sister Leonor as they decide how to set the table. Use the appropriate form of *este* in the blanks. (8 points)

1. esta 2. este 3. estas 4. estos 5. estos 6. estos 7. estos 8. estas

Lección B

1 Write down the appropriate place in the house to have or do the following: (8 points)

1. En el patio./El en jardín.
2. En la sala.
3. En el baño.
4. En el garaje.
5. En la piscina.
6. En la cocina.
7. En el comedor.
8. La escalera.

2 Eva is planning a party for Colombian students who will be visiting her school. Fill in the blanks with the correct forms of *decir* to complete her conversation with Pepe. (8 points)

1. dice 2. dicen 3. dicen 4. dices 5. digo 6. dicen 7. dice 8. decir

3 Combine the elements below into logical sentences that reflect what the following people wish. (8 points)

1. Tú quieres tener una piscina grande.
2. A nosotros nos gustaría comprar un refrigerador grande.
3. Ud. quiere comprar una casa con dos baños.
4. A ella le gustaría tener una cocina grande.
5. El Sr. Murillo quiere tener un garaje para dos carros.
6. A mí me gustaría tener un patio con muchas plantas.
7. Uds. quieren tener una sala cómoda.
8. A Susana y a Luisa les gustaría vivir en la ciudad.

4 Choose the word from the box that best fits the description below. (9 points)

1. sueño 2. frío 3. prisa 4. hambre 5. sed 6. miedo 7. calor
8. cansados 9. ganas de correr

5 Complete the sentences by choosing the most appropriate word from the box above. (8 points)

1. elevations 2. coffee 3. emeralds 4. cumbia 5. castles 6. patios
7. Azoteas 8. Chalets

6 Miguel discusses his after school routine. Fill in the blanks with the correct form of the verbs in parentheses. (9 points)

1. repetir 2. repite 3. dicen 4. pido 5. dicen 6. dice 7. pedimos
8. piden 9. digo

Lección A

1 You and your friends have big plans for the weekend. Based on the drawings, create sentences telling what you are going to do. (8 points)

1. Vamos a jugar al voleibol.
2. Vamos a jugar al básquetbol.
3. Vamos a dibujar.
4. Vamos a hacer aeróbicos.
5. Vamos a jugar al fútbol americano.
6. Vamos a jugar al ajedrez.
7. Vamos a jugar a los videojuegos.
8. Vamos a jugar a las cartas.

2 Fill in the blanks with the correct form of the verb in parenthesis. (10 points)

1. jugamos 2. vuelves 3. Puedes 4. juega 5. puedo 6. vuelven 7. recuerdan 8. juegan 9. cuesta 10. podemos

3 Complete the dialog selecting appropriate words from the word list provided. (8 points)

1. el control remoto 2. mediodía 3. apagar 4. hace 5. siglo 6. alquilar 7. Ahora mismo 8. esta noche

4 Based on the *Cultura Viva* reading in your book, say whether the following statements are *cierto(C)* or *falso (F)*. (7 points)

1. F 2. C 3. C 4. C 5. F 6. F 7. C

5 Using the *presente progresivo* and the provided cues, say what these people are doing right now. (9 points)

1. Mi padre y mi madre están bailando el tango.
2. Tú estás leyendo el periódico.
3. Rosa está jugando al fútbol.
4. Belia y Jaime están llevando la comida a su casa.
5. Yo estoy haciendo mi tarea.
6. Mis hermanos y yo estamos comiendo arepas.
7. El Sr. Botero está durmiendo.
8. Nosotros estamos apagando el televisor.
9. Yo estoy escribiendo una carta.

6 **Tell what the following people are doing right now, using direct object pronouns. (8 points)**

1. Mi equipo favorito está jugándolo.
2. Raquel está apagándola.
3. Uds. están escribiéndolas.
4. Mercedes y yo estamos poniéndolos en el lavaplatos.
5. Mis abuelos están alquilándolas.
6. Tú estás leyéndolos.
7. La Sra. Zapata está enseñándola.
8. Yo estoy limpiándolo.

Lección B

1 **Complete the sentences selecting appropriate words from the list provided. (9 points)**

1. flores 2. invierno 3. llover 4. otoño 5. patineta 6. calor 7. primavera 8. frío 9. verano

2 **Fill in the blanks with the correct form of the verbs in parenthesis. (10 points)**

1. continuamos 2. Envían 3. copian 4. esquío 5. copia 6. ves 7. caminan 8. continúa 9. enviamos 10. esquían

3 **Create logical sentences using the cues provided below. (9 points)**

1. Yo siempre veo las noticias a las seis de la tarde.
2. Yo doy un paseo en la playa con mi perro.
3. Mi hermano pone la mesa para la cena.
4. Yo pongo la patineta en el garaje.
5. Yo nunca salgo de la clase temprano.
6. Mis padres dan dinero a mi hermana.
7. ¿Quién da los papeles a la maestra?
8. Yo sé todas las respuestas.
9. Yo hago mi tarea antes de jugar al fútbol con mis amigos.

4 **Label the drawings below using the appropriate words from the list provided. (8 points)**

1. H 2. C 3. A 4. B 5. D 6. G 7. F 8. E

5 **Match the following descriptions on the left with the people, places and things that appear on the list to the right. (5 points)**

1. D 2. E 3. B 4. C 5. A

6 **Describe these people using the following words: basquetbolista, beisbolista, corredor(a), deportista, esquiador(a), futbolista, nadador(a), patinador(a), tenista. (9 points)**

1. Eres nadador(a).
2. Soy basquetbolista.
3. Es tenista.
4. Somos patinadoras(es).
5. Soy deportista.
6. Es futbolista.
7. Son esquiadores.
8. Son corredores.
9. Son beisbolistas.

Capítulo 8

Lección A

1 Identify the chores that are illustrated below. (9 points)

1. Mi hermano pequeño va a hacer la cama.
2. Mi abuelo va a limpiar el baño.
3. Mi hermano Luis va a trabajar en el jardín.
4. Mi hermana Silvia va a limpiar la cocina.
5. Mi hermana Teresa va a doblar la ropa.
6. Mi padre va a adornar la pared.
7. Mi hermano Juan va a colgar la ropa.
8. Mi abuela va a preparar la comida.
9. Mi madre va a subir algo al primer piso.

2 Complete the following sentences by using the following indirect object pronouns: *me, te, le, nos o les.* (9 points)

1. le 2. me 3. le 4. le 5. te 6. nos 7. les 8. les 9. nos

3 Complete the sentences selecting the appropriate expressions from the list provided. (8 points)

1. lavar las ollas 2. traer el pan y la leche 3. pasar la aspiradora 4. recoger la mesa
5. arreglar el cuarto 6. barrer 7. dar de comer 8. sacar la basura

4 Choose the best answers for the following questions. (6 points)

1. C 2. A 3. B 4. C 5. A 6. B

5 Complete the sentences with the correct present tense form of the verb in parenthesis. (9 points)

1. oyen 2. oye 3. oyes 4. oyendo 5. oímos 6. traemos 7. trae
8. trayendo 9. trae

6 Complete the following paragraph with the correct form of the preterite of the verbs in parenthesis. (9 points)

1. limpiamos 2. barrió 3. pasé 4. cocinó 5. llegaron 6. comimos
7. preparó 8. canté 9. bailaron

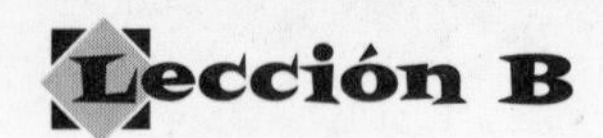

Lección B

1 Identify the following items in the spaces below. Be sure to use articles. (10 points)

1. el pollo 2. la lechuga 3. las cebollas 4. el guisante/los guisantes 5. la lata 6. el pescado 7. el arroz 8. el tomate 9. el pimiento 10. la receta

2 Rearange these sentences so that they demonstrate a comparison between items. (10 points)

1. Pedro come más que Tomás./Tomás come más que Pedro.
2. Hay menos cebollas que papas./Hay menos papas que cebollas.
3. El pollo es tan rico como el pescado./El pescado es tan rico como el pollo.
4. Estos guisantes son los mejores del mercado.
5. La paella es menos rica que el pollo.
6. Estos aguacates son menos maduros que aquellos aguacates. Aquellos aguacates son menos maduros que estos aguacates.
7. Yo necesito tanto pimiento rojo como pimiento verde.
8. El ajo es mejor que la cebolla./La cebolla es mejor que el ajo.
9. Los ajos grandes cuestan más que los ajos pequeños.
10. Hay tanto pescado como verduras en esta paella.

3 Draw a circle around the item that does not belong to the groups of food below. (10 points)

1. naranja 2. huevos 3. habichuelas 4. aceite 5. plátano 6. uva 7. zanahoria 8. cebolla 9. sal 10. mantequilla

4 Decide whether the following statements are *cierto* (C) or *falso* (F). Circle your response. (10 points)

1. F 2. C 3. C 4. F 5. C 6. C 7. F 8. F 9. F 10. C

5 Fill in the blank with the correct preterite form of the verb in parenthesis. (10 points)

1. estuve 2. estuvieron 3. estuvimos 4. estuviste 5. estuvo 6. dio 7. dimos 8. dio 9. dieron 10. dimos

Capítulo 9

Lección A

1 Choose the clothing item from the list below that best fits the description given. (9 points)

1. las botas 2. el vestido 3. el pijama 4. los zapatos 5. el traje de baño
6. la corbata 7. las medias 8. la ropa interior 9. el traje

2 Complete the sentences with the definite article. (7 points)

1. la 2. El 3. el 4. el 5. los 6. el 7. el

3 Convert the underlined verbs in the paragraph below from the present tense to the past tense. (9 points)

1. comí 2. preferí 3. salí 4. abrí 5. saqué 6. aprendió 7. escribimos
8. corrimos 9. dormí

4 Complete the sentences with the appropriate words or expressions from the box below. (6 points)

1. pantalón 2. suéter 3. abrigo de lana 4. impermeable 5. chaquetas
6. sombrero

5 Using the list of words below, complete the following sentences. (5 points)

1. La ciudad de Panamá 2. El Canal de Panamá 3. pollera 4. el archipiélago
5. la selva

6 Fill in the blanks with the correct preterite forms of the verbs *ir* and *ser*. (6 points)

1. fueron 2. fuimos 3. fui 4. fue 5. fueron 6. fuiste

7 Make the pair of sentences that appear below opposite from each other. Fill in the blanks in the following sentences with the words from the box below. (8 points)

1. nunca 2. alguien 3. algo 4. tampoco 5. algunas 6. ni, ni 7. ningún
8. también

Lección B

1 Identify the following clothing items in the spaces below. Be sure to use articles. (10 points)

1. el paraguas 2. la bufanda 3. la billetera 4. el cinturón 5. el anillo
6. el bolso 7. los aretes 8. el perfume 9. el regalo 10. el collar de perlas

2 Indicate the original word based on the diminutives given. (9 points)

1. las joyas 2. poco 3. el traje 4. la billetera 5. el cinturón 6. el zapato
7. la abuela 8. el collar 9. la chaqueta

3 Fill in the blanks with the correct form of the verbs in parenthesis. (10 points)

1. leyeron 2. dieron 3. vimos 4. dijiste 5. hice 6. tuvo 7. oimos
8. leí 9. dijeron 10. vio

4 Complete the dialog using words from the list below. (8 points)

1. tamaño 2. en oferta 3. ahorrar 4. caja 5. tarjeta de crédito 6. efectivo
7. cambio 8. recibo

5 Decide whether the following statements are *cierto* (C) or *false* (F). (5 points)

1. C 2. C 3. F 4. C 5. F

6 Margarita is talking to Julia. Replace the underlined sections of the following sentences with pronouns and prepositional pronouns. (8 points)

1. con ella 2. para Uds. 3. conmigo 4. para mí 5. sin nosotras/nosotras
6. para ella 7. contigo 8. con él

Capítulo 10

Lección A

1 Complete the sentences using the present tense of the verbs in parenthesis. (11 points)

1. estudiamos 2. vive 3. comen 4. piden 5. pueden 6. queremos
7. empieza 8. Juegas 9. hago 10. voy 11. esquiamos

2 Complete the first sentence by providing a question word that makes sense according to the statment in the second sentence. (10 points)

1. Cómo 2. Cuándo 3. Por qué 4. Dónde 5. A qué 6. Quién 7. Qué
8. Cuánto 9. De dónde 10. Dónde

3 Complete the dialog using the appropriate words from the box below. (8 points)

1. me 2. gusta 3. te 4. le 5. gustan 6. les 7. nos 8. gustar

4 Circle the word that does not belong. (14 points)

1. noche 2. dentista 3. hombre 4. nuevo 5. pollo 6. camiseta 7. apurado
8. pescado 9. cuarto 10. semana 11. mañana 12. caballo 13. planta
14. verde

5 Answer the following questions about Perú. (7 points)

1. Lima 2. incas 3. Pacífico 4. oro, plata 5. San Marcos 6. Los Andes
7. Machu Picchu

Lección B

1 Complete the paragraph by filling in the blanks with the correct preterite tense verb forms. (11 points)

1. fue 2. viajó 3. nadé 4. jugó 5. leyó 6. caminamos 7. pedí
8. comimos 9. volvió 10. dormí 11. Fue

2 Create sentences using the cues provided. (12 points)

1. Los tomates están frescos.
2. Ellas llevan unas faldas verdes y cortas.
3. Yo necesito unos buenos libros./Yo necesito unos libros buenos.
4. El artista es inteligente.
5. La clase de español es divertida.
6. Mi madre está enferma.
7. Los chicos de España son guapos.
8. Luis compra la bicicleta azul.
9. Mis amigas son cómicas y simpáticas.
10. La comida mejicana es estupenda.
11. Yo leo todos los días.
12. El jardín tiene muchas flores.

3 Fill in the blanks in the second sentence by replacing the underlined words with direct or indirect object pronouns as indicated. (10 points)

1. los 2. lo 3. les 4. lo 5. le 6. la 7. las 8. les 9. la 10. lo

4 Circle the word that does not belong. (12 points)

1. ventana 2. mayor 3. jardín 4. especial 5. pulsera 6. comer 7. corbata
8. miércoles 9. uva 10. lata 11. carro 12. mesa

5 Choose the best answer for the following questions. (5 points)

1. B 2. A 3. C 4. B 5. B